超　入　門！
サイトM&A
1年目の教科書

ー売却編ー

エベレディア株式会社
代表取締役

中島優太

コーシン出版

はじめに

あなたは、「ウェブサイトなんて本当に売れるのだろうか」と思っていませんか？

無理もありません。そんな話、今まで聞いたことがない人がほとんどのはずです。

実は、私自身も数年前まで同じような疑問を抱いていました。いえ、もっと言うと、「自分がつくったウェブサイトを欲しがる企業や個人なんていないだろう」と、決めつけていたのです。

しかし、実際は１８０度違った結果となりました。

結局、私は起業した会社で作成した２つのウェブサイトを法人と個人それぞれに売却することができたのです。

当時は今より安く取引される業界であったこと。そして、まだまだ独立間もない頃だったこともあり、売却金額は１３０万円と40万円ほどでした。

今となっては数千万クラスのサイトＭ＆Ａ（サイト売買）仲介などをしているため大した金額ではないかもしれません。

でも、当時会社員上がりの私にとってはこの金額は喉から手が出るほどだったのです。

さらに、売却したうち１つのサイトには、20社近くが交渉申し込みしてくれました。「売却をしない相手を選ぶこと」の方が難しい状況だったのです。

なぜ、このようなことができたのでしょうか？

おそらく、私自身がサラリーマンの時、とある企業からウェブサイトを買収した経験が大きな助けとなっていたと思います。

・思わずウェブサイトを買収したくなるような募集内容を見たこと

・売り手と対面で価格交渉したこと
・契約書を取り交わしたこと
・入金のやりとりをしたこと
・ウェブサイトの引き継ぎをしたこと

などなど、売却に関する一連の作業は問題ないと感じていました。


しかし、自信がありませんでした。

「自分のウェブサイトなんて、そこまで価値がない。創業1年ほどの会社がつくったのだから」と、思い込んでいたのです。


ところが、ある事件が起きました。起業して作った会社が潰れかけたのです。

「このままではヤバイ・・・」

そこで、どうしても現金が必要になった私は、勇気を振り絞りました。

「売却」の決意を固めたのです。

あの時のことは今でもハッキリ覚えています。

「ダメだったらいいじゃないか」という気持ちで行動した翌日。

なんと10通以上の交渉メールが届いていたのです。

とても興奮しました。嬉しい思いではち切れそうになりました。

「自分がつくったウェブサイトは社会から必要とされている」「価値があったのだ」という証明になった瞬間でした。


そして、「売却できる！」と確信した私は、一気に行動を加速させました。

そこからは早かったです。私は最も誠実に運営してくれると思った法人に譲渡を決定しました。


たった1か月ほどの出来事でした。本当にあっという間でしたので、自分でも呆気にとられました。数日後、仲介会社からの入金で「本当に売却したのだ」と、ようやく実感が沸いたほどです。

同時に、「なんとか倒産は避けられそうだ」と、しみじみ思ったものです。
そして、この一連の経験から2つ目のウェブサイトは個人事業主の方へ売却できました。
こちらは、わずか1週間ほどです。

この時、思ったのです。

「私と同じように、自分のウェブサイトを売ることに自信がない人がいるのではないか？」
「そもそも、ウェブサイトが売れるという事実を知らない人もいるのではないか？」

そこで、サイトM＆A（サイト売買）の仲介サービスである『サイトマ』を2016年5月に創業しました。
全ては、私と同じように悩んでいる人を救いたい、という思いからでした。

運営していくと、想定していた通り売り手に共通していることが明らかになってきました。

・自分のウェブサイトなんて売れると思っていない

・知人に教えてもらい売却できることを初めて知った
・そもそも売却のやり方がわからない
・交渉が苦手で自分にはできない
・契約書を交わすなんて専門知識がないからできない
・売却後のサーバー移転などができない

さらに、「相談への1歩を踏み出せない」「もっと手軽に情報が欲しい」という人達も一定数いるということもわかりました。

そこで、本書では、そのような人たちのためにも、

・ウェブサイトを売却する方法
・失敗しないコツ
・トラブルに巻き込まれずに安全に売却するポイント

などについて、わかりやすく解説していきます。

そして、実際にウェブサイトを売却された方々にインタビューした実例も紹介しています。この実例をご覧いただければ、さらに売却のイメージが湧くと思います。先にこちらをお読みいただくと、売却へのモチベーションが湧く方もいるはずです。

それから、

・売却金額の決め方
・売却しやすいウェブサイトの特徴
・仲介会社の選び方

など、すぐにでも実践できるような具体的な方法についても解説しました。

しかしながら、こういったビジネス関係の話は、むずかしい話になりがちです。

そこで、本書ではイラストを多めにしているだけではなく、ストーリー形式でサイトM&A（サイト売買）をわかりやすくイメージできる構成にしています。

さらには、全体を通して「そもそもウェブサイトを売却するということは、どういうことなのか？」という本質的な内容についても、しっかりと理解できる構成にしています。

もしも、この本質的な内容がわかれば、ネットショップでも、アフィリエイトサイトでも、ブログでも、ポータルサイトでも、どんなジャンルであっても売却できる可能性が高まるでしょう。

つまり、本書をじっくりお読みいただければ、あなたがウェブサイトを売却する自信とやる気が出るだけでなく、具体的な方法から本質的な理解までできるように仕上がっているのです。ぜひ最後まで読んでみて下さい。

これまで230以上のサイトM&Aに立ち合い、人生が変わった人を目の前でたくさん見てきました。

例えば、売却後に海外留学されたり、あたらしいビジネスをはじめたり、奥様との時間や子育てに時間をあてたりと、新しい人生のトビラを開かれる方が大半です。

私自身も、現金が手に入っただけではなく、買収してくださった個人の方とは、今ではビジネスパートナーとして良好な関係を築いていることもあります。

そんな素晴らしい人生のキッカケとなるサイトM&A（サイト売買）ですが、まだまだ認知されていない業界でもあります。

だからこそ、多くの方に知ってもらい、その可能性にチャレンジして欲しいと思うのです。本書があなたのウェブサイトを売却する際に、〝拠り所〟となれば幸いです。

（尚、人によって「サイト売買」、もしくは「サイトM&A」と表現が様々ですが、わかりやすくするために本書では『サイトM&A』で表現を統一させていただきます）

中島優太

目次

第3章　サイトM&Aを知ろう

第4章　サイトM&Aの仕組みを理解しよう

第5章　値付けのしくみを理解しよう

第1章

それでも今の
ウェブサイトを
運営し続けますか？

1－1　そもそもウェブサイトを売却するメリットとは？

まずは本題に入る前に、そもそもウェブサイトを売ることのメリットから解説します。

ここを押さえておかないと、「売りたい！」という気持ちも湧かないでしょうし、売却する意味も分からなくなるからです。


これまで5年以上、230件以上のウェブサイト売買成立（全て対面）に携わってきて、わかったことがあります。

それは、売却のメリットは大きく分けて3つにまとめられるということです。

1、お金のメリット
2、時間のメリット
3、健康のメリット

もし、あなたがウェブサイトを売却したいと思っているのであれば、これら3つのうちいずれか、あるいはいくつかのメリットを得ることになります。

それぞれ、詳細を見ていきます。

1、お金のメリット

これは文字通りシンプル。お金が手に入るということです。

あなたのウェブサイトが一体いくらで売れるのか？という内容は、後述していますが、仮に売ったあと５０００万円手に入ったとすれば、様々なことができると思いませんか？

例えば、会社の赤字を補填したり、あたらしいビジネスの資金にしたり、欲しいものを買ったりと、やりたかったことがすぐにできるかもしれません。

実際に最近では、お金のメリットを目的にしてウェブサイトの運営をスタートさせる人

もいるほどです。つまり売却前提です。

さらには、売却したお金で投資をスタートさせ、雪だるま式にどんどんお金を増やしていく方もいました。

ちなみに私の場合、「はじめに」でも書きましたが、お金のメリットを目的に売りました。あの時、まとまったお金が手に入らなければ、今頃どうなっていたかわかりません。

もしあなたが、すぐに大金を手にしたい、あるいはお金に困っているということであれば、このメリットを目指しても良いと思います。

く〜お金がない…
新しいビジネスに…
欲しかったものに…

2、時間のメリット

ウェブサイトの運営に時間をとられてしまい、このような悩みを抱えている人がいます。

・あたらしいビジネスをやりたいけど時間がない・・・
・家族サービスをしたいのだが忙しい・・・
・趣味を新しくはじめたいが、時間がなくてそれどころではない・・・
・恋人との時間をもう少し増やしたいが難しい・・・

また、今は問題ないけれど、あきらかにウェブサイト運営に時間が取れなくなることがわかっている人もいます。

・6か月後に出産予定なので、そろそろ運営ができなくなる
・就活が始まってしまったので、社会人になれば管理できなくなる
・自分（あるいは旦那）の海外赴任が決まってしまい、運営どころではなくなりそう

こういった人は、思い切って運営しているウェブサイトを売却してしまいます。

ちなみに、第10章の「サイト売却インタビュー」で登場している佐々木さんは、お金のメリットだけでなく時間のメリットも得ています。

佐々木さんは、売却したことにより時間もたっぷりできたので、やりたかった世界旅行や海外留学にチャレンジしているのです。

しかし中には、「ワンクリックでウェブサイトを消して、まとまった時間をつくっても良いのでは？」と考える人もいると思います。

ですが、やはりそこは人間です。それなりに運営してきたウェブサイトには愛着が沸くもの。

よって、自分がせっかく育ててきたウェブサイトを誰かに誠実に運営してほしい、という思いから売却される方がほとんどなのです。

ただし、こういった方々は、あまり売却の値段にこだわることがなく、まれに安過ぎる値段で売ってしまうこともあるので、注意が必要です。

さすがに、過度な値引きをされる売り手様には、私たちがしっかりアドバイスをしています。

「早く運営から解放されて時間を作りたい」と、目先のメリットだけを考えているために起こることなのです。

それほど、自由な時間とは大きなメリットだと言えるでしょう。

3、健康のメリット

今のウェブサイトを運営し続けることが「肉体的に限界」、あるいは「精神的に限界」という方もいます。
そういった方が無事に売却されると、疲労やストレスなどから解放されることになり、文字通り「健康」をとり戻せるかもしれません。

例えば、

・カラダを壊してしまい運営ができないポータルサイト運営者
・Ｇｏｏｇｌｅなどの検索エンジン対策（ＳＥＯ対策）に疲れたアフィリエイター
・スタッフとの人間関係に疲れてしまったネットショップオーナー
・運営に飽きてしまったネットビジネスオーナー

などなど、こういった方々が「もう限界…」と、続々とウェブサイトを売却されています。

例えば、第10章でも登場する伊藤（仮名）さんは、自分のネットショップ運営中に肘を痛めてしまい商品の発送作業ができなくなりました。

そこで、ウェブサイトの運営を中断し、「売却ができるなら代わりに運営してくれる人を見つけたい」ということで、私たちにご相談をいただきました。

その後、無事にウェブサイトを売却。ゆっくり休むことができたようで、肘の調子は徐々に回復していったそうです。

さらに、カラダ全体の調子まで良くなっていったようで、後日ご丁寧に感謝のご連絡をいただきました。「無事に売却ができて本当に良かった！」と、ほっと胸を撫で下ろした記憶があります。

また、「このジャンルは儲かる！」と、勢いで運営をスタートしたものの、途中から全くモチベーションが沸かずに売却されたとある売り手様がいます。

「お客様からの問い合わせ対応が苦痛になってしまい、このままでは迷惑をかけてしまうと思いました」と売却当時は語っていました。

結果、たった数日で理想の買い手に売却することができたのです。

後日、「あれからストレスもなくなり、お客様を大切にしてくれる買い手様に売却できたことが本当に良かったです」と語っていただけました。

この2人の例からわかるように、ウェブサイトを売却することで、「自分」を大切にすることができました。

「カラダが資本」とはよく言ったもので、人生のベースとなる自分の調子を整えることができる点も、ウェ

心も体もボロボロ…
もう仕事ムリ…
やっぱり健康が一番！

ブサイトの売却は大きなメリットなのです。

以上、３つのメリットをご説明しました。あなたはどのメリットが欲しいですか？

これらメリットのうちいずれも得ることだってあります。

「自分のウェブサイトが、予想以上の高値で売れてしまい、
朝から晩まで好きなことをしていい時間ができ、
やる気のでないジレンマからも解放される」

という状態も十分にあり得るのです。
本当にこうなってしまったら、なんだかワクワクしてきませんか？
これが、ウェブサイト売却の大きな魅力でもあるのです。

1-2 ウェブサイトはとにかく継続が難しい

そもそも、何故あなたはこの本に興味を持ったのでしょうか?

「ウェブサイトが売れてお金になるならラッキー」
「正直、ウェブサイトへのモチベーションがない。売れるなら売ってみたい」
「Googleのアップデートで売上が激減。途方に暮れていた」

などなど、理由は様々かと思います。

しかし、どの理由であれ本質的に共通していることは1つ。それは、ネットビジネスを続けることは思ったより難しい、ということです。

その証拠に、私たち「サイトマ」のデータになりますが、仲介させて頂いた230件以上のウェブサイトの運営歴は、平均して1~3年ほどです。

売却された方の中には、早い人で5~6か月ほどの運営で売却してしまう方もいました。

この売却までの期間の比較として、会社の売り買いを参考にしてみます。

実は近年、後継者不足もあって会社を売る社長が増えています。そういった会社は何十年と地道に経営されてきた会社です。

データを見てみると、中小企業の経営者の引退時期は68歳～69歳と推察されています。これは、次の経営者（後継者）へ事業を譲り渡す準備をはじめる時期と言われています（中小企業庁ＨＰより）。

つまり、約70歳でようやく引退と考えると、30歳で創業していれば40年、40歳で創業していれば30年の運営歴があるわけです。

それに対して、ウェブサイトの場合、たった数年、あるいは半年ほどの運営でサクッと売却してしまう…。会社の30～40年と比べると、ものすごい差がある訳です。

なぜ、このような差があるのかと調べてみたところ、「飽きてしまった」「モチベーションが下がってしまった」という売り手様が大半だとわかりました。

そこで、実際に売り手様へのヒアリングで教えてもらった、継続できない理由をいくつかご紹介します。

・アフィリエイトのようなビジネスは、実際にお客様とコミュニケーションすることがほとんどない。よって、商売をやっている実感が沸きにくくモチベーション維持がむずかしく、飽きやすい。

・ウェブサイトは、飲食店などのビジネスと比べると、ほとんどコストをかけずにスタートできる。これが、いつ辞めてもリスクがないという危機感のなさを生み、モチベーションが続きにくい。

・ネットビジネスは、スタート時からパソコンに向かって1人で作業することが多く孤独で挫折しやすい。また、ある程度の結果が出ると燃え尽きてしまうことが多い。

あなたはいかがでしょうか？

仮に、似たような状況であっても恥ずかしいことではありません。むしろ、買い手は1～3年も運営してくれたことに感謝してくれるほどです。

さらに、あなたの運営期間も売却理由も、売買成立にはさほど影響はしませんのでご安心ください。

そもそも、「石の上にも3年」ということわざがあるくらいですから、人間は3年間ですら何かを続けることは難しいのです。

また、「3日坊主」という言葉があるように、3日間ですら続けることが困難だと言えるでしょう。

あなたも、ダイエット、運動や筋トレ、習い事など、3年間も続いているものはあるでしょうか？おそらく、ほとんどの人が3日坊主となり続かないのではないでしょうか。

良い買い手ほど「継続はむずかしい」ということは、しっかり理解しています。誠実に交渉をしてくれますので、自信を持って売ってみてください。

また、そのような買い手との売買は、とてもスムーズに進むことが多いです。ストレスもなくスピーディーに売却ができるでしょう。

さて最後に、この章で最もお伝えしたいことがあります。

それは、「最近、モチベーションが沸かない」「もう続けられないかも」と、思うことが増えたのであれば、**売れるうちに売ってしまう方が良い**、ということです。

なぜなら、やる気が低迷していくと、ウェブサイトのメンテナンスや新しい施策にチャレンジしなくなり、売上が下がっていくことがほとんどだからです。

そうなると、売りたいときに売れない、という最悪な結果にもなりかねません。というのも、買い手は売上が下がっているウェブサイトにほとんど興味を持たないからです。

ちなみに、１度でも売れない期間が続くとどうなるのでしょうか？

１年以上は売却できない、あるいは売却すらできない、ということがわかっています。

そうなるのではなく、最も高く早く売れる可能性があるときにこそ、思いきって売却してみるべきなのです。

もう続けられないかも…
モチベーション↘
やる気↘
早めに売却すると…
あの時 売れてよかった！
いつまでも
売らないと…
買いません
全然売れない…

※良くあるパターンです

1-3　ウェブサイト運営の難易度は年々上がっている

あなたが、これからもウェブサイトを運営していきたい場合、非常に困難な道のりになるでしょう。

「広告運用」「SEO対策」「NAVERまとめの撤退」という3つの視点から考えてみます。

Ⅰ　広告運用

ウェブサイトに限らず、事業を運営していくためには、広告の存在は欠かせません。例えば、テレビやラジオを付ければ必ずコマーシャルがありますし、最近ではYouTubeでの広告も目立ってきています。

また、新聞や雑誌の広告欄には、常に企業が何か広告を出しています。

身近なものを見るだけでも、企業が広告費を払い、お客様を獲得しようという姿勢がわかります。

ウェブサイトのようなネットビジネスの場合、代表的な広告はＧｏｏｇｌｅ ＰＰＣ広告があげられると思います。

すでに利用されている方も多いと思いますが、検索キーワードを入札する方法で、インターネットの検索結果に自分のウェブサイトを広告として上位に表示させることができるものです。

しかし、業界が成熟し年月が経つにつれて、広告単価が上がってくるのが一般的です。例えば、数年前まで１クリック１００円で入札できたキーワードが、現在では２００円にアップしてしまった、というケースはざらにあります。

この事例だけでも、シンプルに考えれば広告費が2倍になってしまったということです。

ＰＰＣ広告は入札制度になっておりますので、同じ業種のプレイヤーが増えれば増えるほど、広告単価は上がってしまうのです。そうなると、広告に依存したネットビジネスは、年々苦しくなる運命にあるといえます。

実は、ＰＰＣ広告に１００％依存したアフィリエイトサイトの仲介をさせてもらったことがあります。

売り手様は、年々高くなる広告費の関係で、これ以上自分のスキルでは利益を出しにくくなると判断。ウェブサイトは健全な状態でしたが、早めに売却をされていました。

それに対して買い手様は、入札型の広告運用に慣れていた様子で、「自分ならば継続して利益を出し続けることができるだろう」と判断。無事に売買成立となりました。

このように、広告運用は日に日に難しくなるとい

う問題があるため、ウェブサイトを売却するという選択肢が浮かび上がってくるわけです。

Ⅱ　SEO対策

広告は使っていないけれど、検索エンジン対策（ＳＥＯ対策）をメインに、ネットビジネスをやっているという方もいると思います。

しかし、Ｇｏｏｇｌｅは定期的に「アップデート」というものを行なっています。

これは、Ｇｏｏｇｌｅ独自の判断で不要と判断したウェブサイトを検索させない（検索圏外にする）というもので、ユーザーがより使いやすい検索エンジンにするための施策です。

例えば、２０１７年12月頃に行われた、根拠がなく信ぴょう性が低い医療・健康関係のウェブサイトが影響をうけた「健康アップデート」と言われるもの。

また、２０１８年８月、２０１９年３月、６月、９月、２０２０年５月に行われた、低品質のウェブサイトが影響を受けた「コアリズムアップデート」と言われるもの。

さらに、自作自演の被リンクをつけているウェブサイトが影響をうけた「ペンギンアップデート」、スマホに対応していないウェブサイトが影響をうけた「モバイルフレンドリーアップデート」などもありました。

実は、このようなアップデートが行われると、これまで通用していたことが逆にマイナス評価となり、検索順位が下がってしまうことがあるのです。

そうなった場合、時間をかけてウェブサイトを修正していくしか方法はありません。しかし、せっか

く修正できても、またアップデートがあり検索順位が下がり、また時間をかけて修正する…。

このように、SEO対策には終わりがないのです。結果、疲れてしまう運営者も多くいます。今後、さらに脱落者は増えていくでしょう。それだけ、むずかしい対策だと言えるのです。

Ⅲ　NAVERまとめの撤退

有名サイト「NAVERまとめ」が、2020年9月に運営を終了しました。

これは、今後のインターネットの世界には、コピペでまとめたような中身が薄いページは求められていない、という証左です。

事実、Googleの「品質に関するガイドライン - 無断複製されたコンテンツ」では、『他のサイトのコンテンツをコピーし（中略）若干の修正を加えた上で転載しているサイト』は、無断複製されたウェブサイトとなっています。

また、ウェブマスター向けガイドライン(https://support.google.com/webmasters/answer/35769?hl=ja)には、以下のような記載がされています。

・検索エンジンではなく、ユーザーの利便性を最優先に考慮してページを作成する。

・ユーザーをだますようなことをしない。

・検索エンジンでの掲載位置を上げるための不正行為をしない。ランクを競っているサイトやGoogle社員に対して自分が行った対策を説明するときに、やましい点がないかどうかが判断の目安です。その他にも、ユーザーにとって役立つかどうか、検索エンジンがなくても同じことをするかどうか、などのポイントを確認してみてください。

・どうすれば自分のウェブサイトが独自性や、価値、魅力のあるサイトと言えるようになるかを考えてみる。同分野の他のサイトとの差別化を図ります。

つまり、「常に価値の高いページをつくり、継続的にウェブサイトをバージョンアップさせていく必要がある」、ということです。

よって、あなたが業界の専門家ではない場合、さらにウェブサイト運営は難しくなる可能性があります。

なぜなら、いきなり業界の専門家がウェブサイトを作成してしまえば、専門家ではないあなたのウェブサイトは、一気に価値がなくなる可能性があるからです。

そうなると、ウェブサイトへの訪問者数は激減。売上も減ってしまう可能性があります。

実は、そのような可能性があるために、早めに売却をしようと考える売り手も現れてきています。

例えば、第10章のインタビューで登場している田中(仮名)さんは、ウェブサイトを立ち上げてすぐに売却してしまいます。

これは長期的な運営は難しいとわかっているため、ウェブサイトが軌道に乗った段階で買い手に譲渡してしまうのです。

アクセス数
専門家のウェブサイト
アクセス数
専門家でない人のウェブサイト
ダメだ…何をやっても
ユーザーがはなれていく…

このように、「広告運用」「ＳＥＯ対策」「ＮＡＶＥＲまとめの撤退」だけを見ても、今後のウェブサイトの運営は、ますます厳しくなると予想ができます。

もし、あなたが運営しているウェブサイトが、一生涯かけてでもやり抜きたいと思っているものであれば、この戦いに挑んでも良いでしょう。

しかし、そこまでは考えていない場合、未来では「時間」と「精神」と「肉体」の浪費が待っている可能性があります。

それでも、あなたは今のウェブサイトを運営するでしょうか？

心の底から「はい」と言えない場合、売れるうちに売却してしまった方が良いかもしれません。

・広告運用きびしくなる
・SEO対策むずかしい
・専門家じゃない
長く続けられないかも！
同じように悩んでいる方は
売却を検討されていますよ

1－4　クッキー規制で運営はシビアに

商売に必須の「個人情報」取得がどんどん困難になっているのをご存じでしょうか？
具体的には「クッキー規制」というものです。

「クッキー（Ｃｏｏｋｉｅ）」とは、ウェブサイトを訪問したユーザーの情報や閲覧したページを一時的に保存する仕組みのことです。また、ログイン情報なども保存できます。

よって、ユーザーはＩＤやパスワードなどの入力が不要になったり、趣味趣向に合う広告やオススメ関連商品をウェブサイト内で見ることができるのです。

これは、とても便利ではあるのですが、世界ではこのクッキーをシビアに捉えているのです。

有名なところでいうと、

・ヨーロッパでは、2018年に個人データを保護する法律「GDPR（EU一般データ保護規則）」が施行

・アメリカでは、2020年にカリフォルニア州消費者プライバシー法（CCPA）が施行

という動きがあります。

これら2つは、「個人データの主権はユーザー自身にある」としています。

つまり、ユーザーがウェブサイトに「個人情報を渡さない」ことを選択すると、もうウェブサイトはクッキー情報が取れないということなのです。

こうなると、あやしいウェブサイトには情報を渡したくないので、ユーザーにはオススメ商品が出なくなったり、広告なども適切に表示されなくなる可能性があります。

そうなると、クッキー情報がないために、運営が難しくなるウェブサイトも出てくるでしょう。

そうは言っても「日本はまだ大丈夫でしょ」と、考える人もいると思います。しかし、すでに日本は世界のクッキー規制の動きに影響されつつあります。

その証拠に、日本の個人情報保護委員会は、「Ｃｏｏｋｉｅの利用でデータの提供先企業が個人情報を扱う場合、新たな規律を検討する」と公表しています(２０１９年11月)。

これは、就職情報サイト「リクナビ」が、学生のクッキー情報を他社に無断で提供してしまったことからこういった動きになっています。

クッキーのデータは個人の主権…。明らかにＥＵやアメリカの動きに影響を受けたからに違いないでしょう。

そうでなければ、個人情報保護委員会が公表まではしないはずです。

今後、日本であってもクッキーの捉え方や、法律の変化はあると予想されます。

ちなみに、本書執筆中（２０２０年12月末日）に、お世話になっている有名な経営者からこのような相談がありました。

「弊社で運営しているウェブサイトのシステムがうまく稼働しなくなりました。どうやらクッキー情報がうまく取得できないことが原因のようです。これを改善するためには、莫大なコストがかかってしまいます。とてもじゃないですが、弊社では運営継続できません。コストが収益に見合いません。諦めて売却しようと考えています。お願いできますか？」

どうやら、Ａｐｐｌｅのブラウザである Ｓａｆａｒｉがクッキー規制を強化したことが大きな原因のようです。

今後、ＧｏｏｇｌｅのＣｈｒｏｍｅも２０２２年までに規制を強化する旨を発表しています（出典：https://blog.chromium.org/2020/01/building-more-private-web-path-towards.html）。

このように、すでにクッキー情報の取得が難しくなっている事例が出ています。今後も、

苦しめられるウェブサイトは増えてくるでしょう。

あなたのウェブサイトは大丈夫ですか？

もし、「こういったことに注意しながら運営を続けることは難しいかも」、と感じているのであれば、早めに手放してしまうのも手かもしれません。

後述しますが、現状はウェブサイトが売却しやすい「売り手市場」です。今このチャンスを掴む選択肢もあると思います。

クッキー規制
早めに売っておけば
良かったかも…
ウェブサイト
突然ウェブサイトが
機能しなくなることも…

第2章

あなたが思うより
ウェブサイトは売れる

2-1 そもそも買い手にとってウェブサイトを購入するメリットとは？

ウェブサイトの売り買いは立派なビジネス取引になります。当然ながらお互いにとってメリットがなければ成立しません。

よって、あなたがウェブサイトの売却を成功させるためにも、相手である買い手のメリットも知っておくべきです。

例えば、「私のウェブサイトは、全く売れません」という方もいますが、そういった方に限って、買い手のメリットを見落としているのです。

ですから、「売れなかった」という失敗をさけるためにも、買い手のメリット把握は必須となります。

買い手のメリットは以下の４つにまとめています。

1、お金のメリット
2、時間のメリット
3、健康のメリット
4、スケールメリット

それぞれ、説明していきます。

1、お金のメリット

買い手にとってのお金のメリットは2種類あります。

I　すぐに売上が上がる

金持ち父さんシリーズで有名なロバートキヨサキ氏は、書籍でこのように言っています。

「ビジネスの9割が5年以内に失敗する」

この数字を見るとビジネスの成功確率は相当低いと言えます。

すでにネットビジネスをやっているあなたなら分かると思います。

10個ビジネスを試しても、長期的に運営ができるのは1つや2つではないでしょうか？

いいえ、1つや2つ売上が発生さえすれば、まだ良い方かもしれません。

その証拠にベンチャービジネスの成功確率は、なんと3/1000であるともまとめられています（財団法人UFJベンチャー育成基金　当時名）。

それほど新しいビジネスというのは、そもそも立ち上げることが難しいのです。

それに対して、ウェブサイトを購入するということは、すでに出来上がったビジネスを買うことになります。

売上があるウェブサイトを購入すれば、翌月からすぐに売上が発生するのです。

これが、買い手にとって最大のメリットと言っても過言ではありません。

つまり、そもそも成功確率が低いビジネスというものを、「すでに立ち上げがクリアできた状態からスタートできる」「すぐに売上を確保できる」という点が、とても魅力的なのです。

裏を返せば、売上(もっと言えば利益)があるウェブサイトは、買い手のメリットを満たしているので、売りやすいとも言えます。

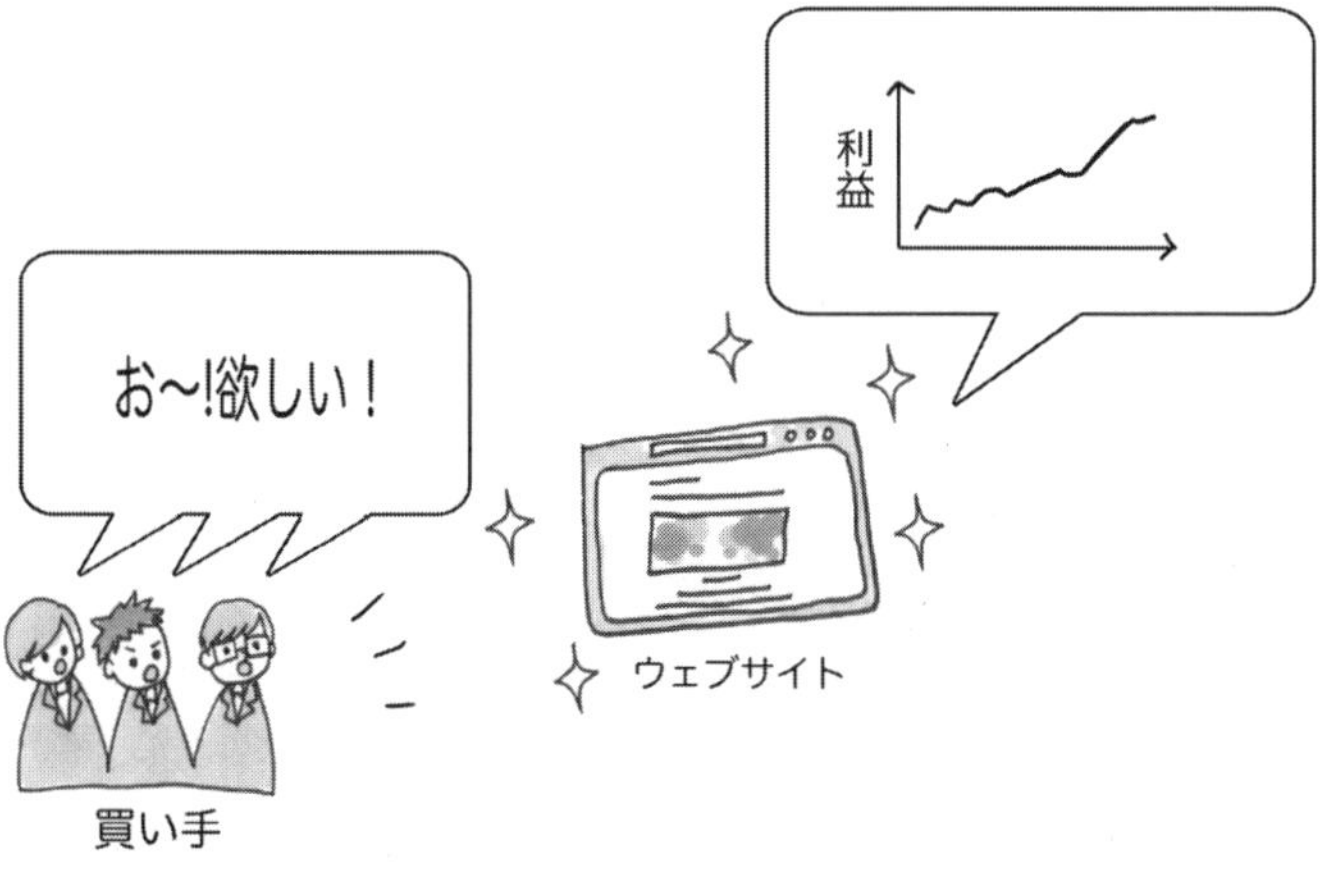

Ⅱ　お金を使いたい

法人は1年間に儲かった利益に対して税金がかかってきます。

多くの経営者は、会社を大きくしていくために、広告費や人件費などにお金を使います。

よって、できれば自分の会社に再投資を続けることで、長期的に会社を発展させていきたいと考えています。

例えば、アマゾン。上場後、約20年もほとんど利益を出さなかったことで有名です（創業～2016年までの最高営業利益率はたったの6.36％）。

なぜなら、利益のほとんどを倉庫やシステム、あたらしいビジネスなどへ投資していたからです。

このことからわかるように、大きく発展していく会社や、積極的に経営をしている社長であれば、「税金を払う前にできればお金を使っていきたい」というモチベーションが自然と働きます。

全ては、未来の利益を確保するためです。

そこで、儲かっている法人は「ウェブサイトの購入」を1つの投資として考えているわけです。なぜなら、それを満たすメリットがあるからです。

もちろん、広告費などのように、全て経費にできるわけではありません。

しかし、何もしなければ大きな税金を払う会社にとっては、経費としてお金を使えるだけでなく、新しいビジネスまで手に入ってしまうというメリットは見過ごすことができないのです。

2、時間のメリット

新しいビジネスから売上を上げ、さらに安定させるためにはとても時間がかかります。あなたもウェブサイトを運営されているのであれば、納得していただけることだと思います。

例えば、あなたが売却しようとしているウェブサイトが軌道に乗るまでに1年かかっていたとします。すると、買い手はお金を払うだけで、その1年間という時間をショートカットすることができます。

お金はあるけども、新しい事業をゼロから立ち上げる時間はないという規模の会社やフリーランスの方には、この時間のメリットはとても意義があるのです。

また、最近ではサラリーマンの方の、起業を目的としたウェブサイトの購入も目立ってきています。

『サラリーマンは300万円で小さな会社を買いなさい(三戸政和著)』という書籍も

ありますが、最近では会社だけでなくウェブサイトの購入も注目されているのです。

例えば、テレビ朝日「サンデーステーション」という番組では、サラリーマンがウェブサイトを買って独立した、という内容で特集されていました(2020年9月27日放送)「年収1000万円を捨てた」「元営業部長のチャレンジ」など、大きく注目されていました。今後も似たような事例も増えてくると予想できます。

そもそも、サラリーマンの方は、「サラリーマン」という本業があります。そのため、時間とエネルギーを必要とするビジネスを軌道に乗せるという作業が難しいというデメリットがあります。

そこで、既に出来上がっているウェブサイトというビジネスを買うことは、一気に時間をショートカットできるので大変メリットがあるのです。

余談ですが、「はじめに」でも書いたように、私もサラリーマンの時にウェブサイトを買収したことがあります。

その理由は、やはり時間をショートカットしたかったからです。
サラリーマンをしながらウェブサイトを購入する時間は、さほどかかりませんでした。おかげさまでしっかりと時間のメリットを得ることができました。

3、健康のメリット

ビジネスを軌道に乗せるためには時間がかかるだけではありません。精神的なエネルギーを使ったり、体を使ってハードワークをしなければならない時もあります。

ウェブサイトを売りたい人の中にも、「最初の頃、

このウェブサイトは
1年かけて軌道に
乗せました
20XX 1/1 ～ 20XX 12/31
この時期を
買えるのか～
売り手
買い手

ウェブサイトの買収は
時間をショートカットできるメリットがあります

こちらのミスでお客様とトラブルになり大変だった」「毎日3時間睡眠だった」など、軌道に乗るまでの苦労は多いのです。

私自身、新しい事業を立ち上げた時はほとんど眠らずガムシャラに仕事をしていました。それでも半年ほどは、まともに売上も上がらず肉体的にも精神的にも大変でした。

知り合いの社長にも、「ランチに行く時間すらなかった」「3年くらい遊んでなかった」と言う人がいます。

つまり、既に出来上がっているビジネスを買う事は、こういった苦労を避けられる可能性があります。健康を損ねるリスクを防ぎやすいのです。

これが買い手とってはメリットどころか、感謝されるほど喜ばれることです。

あなたが売りたいと思っているウェブサイトに費やしてきた労力に対して、非常に価値を置いている買い手がほとんどです。ぜひ覚えておいてください。

これまでの苦労は決してムダにはなりませんので、堂々と買い手と交渉してみましょう。

4、スケールメリット

効率よく稼いでいる会社やフリーランスの方は、本業との親和性が高いウェブサイトを買っていく傾向にあります。

例えば、本業が健康に関してアドバイスするような仕事をされている買い手であれば、健康グッズを販売しているネットショップを購入する。

あるいは、家電を取り扱っているネットショップであれば、家電レビューサイトを買収する、などです。

ハードワーク
クレーム対応
ストレス
こういったことをしなくて良いのか…
ありがたい！！！！
～などなど、
はじめの頃は本当に大変で…
買い手
ウェブサイト
売り手

買い手は売り手の苦労に価値を置いています

こうすることで、本業への集客や売上アップにつながるケースが多く、また購入したウェブサイトに対しても、本業のノウハウを活用することができます。**つまり、相乗効果が期待できるのです。**

仮に異業種の会社や個人があなたのウェブサイトに交渉してきたとしても、まずは話を聞いてみましょう。

よくよくヒアリングしてみると、戦略的に本業と近いウェブサイトを購入しようとしている可能性もあります。

お！あのウェブサイトを
ウチでやれば
相乗効果がありそうだな！
会社
買い手
ウェブサイト
売り手

さて、このように、ウェブサイトの買収には大きく4つのメリットがあります。そして、買い手も同様にいくつかのメリットを得ることもあります。

買い手にとって納得するメリットを2つ以上提示することができれば、交渉もスムーズに進むでしょう。

しかし、ここで1つ気をつけたいことがあります。それは、売却を進めていくと、「**なぜか買い手目線を忘れてしまう**」ということです。特にはじめてですと、この傾向にあります。

これは、せっかくの売却チャンスを逃すこともあるので、注意しましょう。

ぜひ本書の内容を思い出しながら進めてみてください。

×
うわ〜やめておこう
売りたい！
売りたい！
売りたい！
買い手目線
買い手
売り手
○
おーウチのメリットを
しっかり示してくれる！
良さそうだし、信頼できるなぁ…
買おうかな
相手のメリットを
しっかり考えよう
買い手目線
買い手
売り手

買い手目線を忘れないようにしましょう

2－2「肉体の限界」「モチベーションの低下」そんなウェブサイトでも買い手は欲しい

さて具体的に、買い手はどのようなウェブサイトが欲しいのでしょうか？

その前に、少しだけ会社の売り買いについてお話しします。

実は、経営者が廃業を決めた理由は、「経営者の高齢化、健康（体力・気力）の問題」が４８．３％であるとされています（中小企業庁）

体力面だけでなく、気力（モチベーション）の低下も廃業のきっかけになっているということです。

また、後継者がいないために、会社が倒産してしまった件数は２０１９年に４６０件ありました（これを後継者不在倒産といいます）。

これまで最多だった２０１３年の４１１件を６年ぶりに更新しています（帝国データバ

ンク調査）。

日本では業績も良くすばらしい会社はあるのに、引き継いでくれないことで、泣く泣く廃業しているケースが多くあるのです。

それも高齢による体力やモチベーションの低下による倒産がほとんどなのです。

つまり、業績は良く、運営者である社長にだけ原因があるだけなので、良い買い手とマッチングすれば、会社は売りやすいともいえるのです。

その証拠に、2019年のM&A件数は4088件でした。

これは、2018年の3850件を238件、6.2%上回り、過去最多を記録しています(マールオンライン調べ)。

このデータは、日本企業が当事者ですので、近年日本ではM&Aが盛んに行われているということです。

これは、ウェブサイトにも同様なことが言えます。

実は、「肉体の限界」「モチベーションの低下」した売り手からの相談は多くあります。そういった案件も市場にも出回っています。

つまり、「ウェブサイトは健全であるが運営者に問題がある」という状態なのです。

こういったウェブサイトは、よく売れます。

会社の売買でいう、「会社は健全であるが、運営者（社長）に問題（高齢による体力＆モチベーション低下）がある」ことと同じなのです。

会社の場合
こんなに業績の良い会社なら買います！
買い手
会社
もう引退じゃ…
売り手
ウェブサイトの場合
こんなに業績の良いウェブサイトなら買います！
買い手
ウェブサイト
もう続けるのムリ
売り手

よりわかりやすく説明するために、ウェブサイトと運営者の関係性についてのマトリックスを提示します。

これを、「サイト売却オーナーのマトリックス」と呼んでいます。

（このマトリックスはオリジナルのもので著作権は弊社エベレディア株式会社に帰属しています）

①ウェブサイトと運営者は健全
②ウェブサイトは健全、運営者に問題あり
③ウェブサイトに問題あり、運営者は健全
④ウェブサイトと運営者に問題あり

理想は①なのですが、なかなか市場に出回りません。買い手はそれを知っていますので、②～④に狙

【サイト売却オーナーのマトリックス】

運営者＼ウェブサイト	健全	問題あり
健全	①	③
問題あり	②	④

いを定めることが多いです。

ほぼマッチングしないのは④です。

2番目にマッチングしやすいのが②で、かつ市場にも比較的多くあります。つまり、「ウェブサイトは健全であるが運営者に問題がある」という状態ですね。

もしも、あなたのウェブサイトは健全だが、「体力」や「モチベーション」が低下しているので売りたい、ということであれば大チャンスです。

なぜなら、買い手は「健全なビジネス」が欲しいだけなので、運営者の状態はさほど重要ではないからです。

ちなみに、売買交渉の際、ほぼ必ずと言っていいほど、「なぜあなたは、このウェブサイトを売却するのですか？」ということを質問されます。

理由としては、包み隠さず情報が欲しいという買い手の意図があるため、わざわざこういった質問をして売り手をテストしているのです。

この時、下手にウソをつくと後でトラブルになるケースがほとんどです。はっきりと売却の理由は伝えておきましょう。

「カラダの限界」「やる気が起きない」このように伝えてしまって問題ありません。

それでも、ほとんどのウェブサイトは売却に成功しています。もしも、あなたが同じ理由であれば安心してほしいと思います。

モチベーションが続かないので
売却します
わかりました
購入します
素直な人で
信頼できるなぁ～
ドキ
ドキ
買い手
売り手

2－3　あなたが運営困難なウェブサイトでも買いたいと思われている

ウェブサイトに問題があった場合、本当に売れないのでしょうか？

つまり、先ほどのマトリックスでいうと「③ウェブサイトに問題あり、運営者は健全」のことです。

売上が下がっている、スタッフがやめてしまったなど、「もうこれ以上は運営することがむずかしい」というようなウェブサイトです。

再び、会社の売り買いの話を例に出します。

実は、赤字の会社でも売却できることをご存知でしょうか？

なんと、経常利益が2期連続赤字の会社でも、実に11．4％も売却ができています（国民生活金融公庫　調査季報　79号）。

赤字が続いている会社ということは会社に問題があり、すでに社長は運営が難しいと判断しているはずです。それでも、売却が出来てしまうのです。

もちろん、割合でいうと10社に1つほどですので、さほど高い数字ではありません。しかし、「2年も連続赤字になっている会社でも欲しいと思う会社がある」という事実は、驚きませんか？

なぜ、買い手は赤字でも買うのでしょうか？

理由は、将来に期待できる利益が見えているからです。つまり、「買った後にテコ入れすれば利益を伸ばせるぞ」と判断して買収しているのです。

例えば、日本電産株式会社は、買収した赤字の50数社すべてをほぼ1年以内に黒字化させています。

これは、驚異的な実績ではありますが、こういった会社が実在しているのです。このように、社長がお手上げ状態の問題がある会社であっても、将来の利益が見えていれば買う会社があるのです。

これは、ウェブサイトにも同じことがいえます。

要するに、「運営者が運営困難だと思っている問題があるウェブサイト」であっても、売却ができてしまうということです。

例えば、SEO対策は近年ますます難しくなってきていますが、あえてアップデートで検索順位が下がり、売上減したウェブサイトを購入。

その後、自社でテコ入れし、そのまま運営もしくは売却するという買い手のケースがあります。

また、直近が赤字になっているウェブサイトであっても、「これは一時的だから、購入後に修正できる」と判断した買い手は、逆にチャンスとばかりに買収していきます。

「売上が激減してしまった」
「スタッフの出入りが激しくて安定しない」
「お客さんからの大クレームで運営は無理かも」

などなど、あなたのウェブサイトが、こんな状態であっても、大チャンスと見ている買い手がいるかもしれません。

ぜひ、諦めずに売却を進めてみましょう。

・検索順位
・売上
・スタッフ数
・クレーム数
ウェブサイト
もうダメかもー！
売り手
うちならテコ入れできるかも！
会社
買い手

2-4　買い手は常に新しいビジネスを探している

2019年10月の消費税増によるGDPがマイナス。
さらに、2020年3月によるコロナ自粛で冷え込んでしまった日本経済。
こんな状況で、ウェブサイトなんて欲しい会社や個人は、本当にいるのでしょうか？

これもまた、会社の売り買いでおもしろいデータがあるのでご紹介します。

なんと、M&A総合支援プラットフォームを運営する株式会社バトンズの調査によると、「**コロナ後、64.8%の経営者が企業や事業買収を実施・検討**（N=111）」ということが分かっています。（出典：https://prtimes.jp/main/html/rd/p/000000052.000034376.html）

ちなみに、コロナ前は「57.6%の経営者が買収を実施・検討（N=111）」となっています。

つまり、コロナ前後でみても、買い手のニーズに大幅な変化はなかった、ということが

わかります。むしろ、コロナ後に「買った」「買うかも」という経営者が7.2%増えているのです。

これは、買い手の視点に立つと、

「コロナで市場が変化したことによる新しいビジネスの模索」
「コロナなど関係なく積極的に買収したい」

という2つが考えられます。

その証拠に、この調査では、「実施・検討の理由を教えてください。（N=72）」という質問に対して、

①市場の変化への対応のため　70.8%
②自社のウィークポイントの補強のため　62.5%

③事業拡大のため　54.2%

という結果になっています。

予想どおり、コロナで市場が激変したことに対応する①に加えて、コロナは関係なく②③と続きます。

実は、この流れはサイトM&A市場にも同じようなことがいえます。

例えば、私たち「サイトマ」のデータにはなりますが、買い手からの問い合わせは、コロナ後では2.33倍でした。これは過去最大の問い合わせ数です。

そういった問い合わせや、売買の面談に携わっていると、

「コロナで本業が危うくなってきたので、新しいビジネスを探している」

「コロナの影響はさほどなかったが、周りの状況を見ると今のうちに新しいビジネスを探したい」

という、コロナ由来の問い合わせは、明らかに増えていることがわかります。

しかし、

「今期も利益が出たので、積極的にウェブサイトを購入したい」
「予算が5000万円あるので、良いサイトを3〜4つ紹介してくれませんか？」

と、コロナに関係なく積極的に買収したい買い手も増えています。

このように、実は景気にはあまり関係がなく、買い手は常に良いビジネスを探しているのです。

ですから、「コロナがあったから（消費税増があったから）、自分のウェブサイトなんて買う人はいないのでは？」と、心配になる必要はありません。

むしろ、今は売却のチャンスが来ていると捉えても良いでしょう。

コロナで…
今のうちに
新しいビジネスを
買おう
飲食店
買い手
コロナに関係なく…
今期も利益があるので
ウェブサイトを買おう！
会社
買い手
どんな時でも
買い手は新しいビジネスを
探しているんだなぁ～
ウェブサイト
売り手

第3章

サイト M&A を知ろう

3-1 サイト運営は農家と一緒!?

いよいよ本題であるサイトM&Aについて解説していきます。

しかし、サイトM&Aと聞くと、「なんだか難しそう」と思う人もいるでしょう。**そこで、あるストーリーをベースに、まずはざっと大まかなイメージを掴んでいきましょう。**

あくまでサイトM&Aの全体を理解するためですので、あえて細かい説明は省いています。その分、理解しやすいので、リラックスして読んでみてください。

それでは、はじめていきます。

・・・

今、あなたは田舎のりんご農家だとします。毎日、せっせと働いて美味しいりんごをつくって売っています。

さて、このりんご農家に必要なのは、「土地」「りんごの木」「働く人」です。この3つが揃っていれば、りんごを作って売ることができます。（イラストA参照）

これをウェブサイトに例えるとこうなります。

・土地＝サーバー
・りんごの木＝ウェブサイトのページ
・働く人＝ウェブサイトを更新する人
（イラストB参照）

「土地」がなければ、「りんごの木」は根をはって育ちません。りんごの木を世話するためには「働く人」が必要です。

【イラストA】

【イラストB】

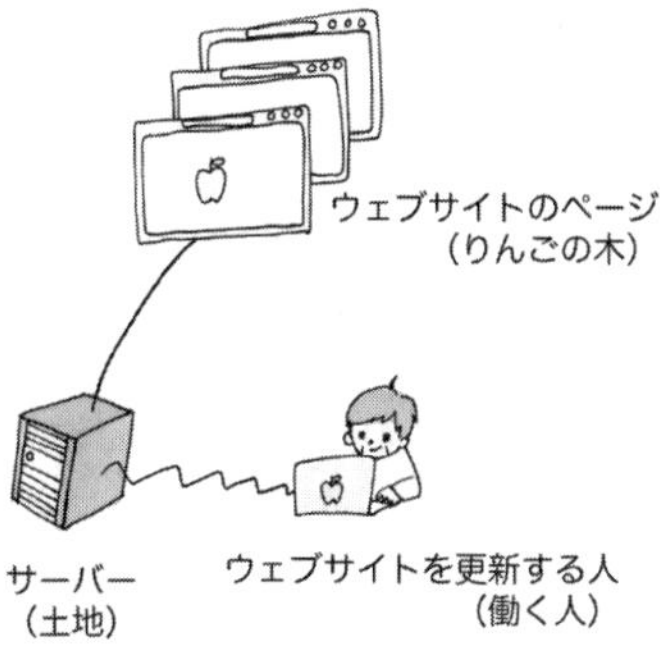

これは、ウェブサイトも同じです。

「サーバー（土地）」がなければ、「ウェブサイトのページ（りんごの木）」はパソコンやスマホなどに表示できません。

また、「ウェブサイトを更新する人（働く人）」がいなければ、ウェブサイトの情報も古くなってしまいウェブサイトを見てくれる人が減ってしまいます。

3-2 農業を引退したい…

さて、順調だった農家人生ですが、ある日「もうやめたい」と思う日がやってきました。

それは、体調が良くないからとか、お金がなくてりんごの世話ができなくなったとか、りんごではなくて本当はみかんをつくってみたかったとか、いろんな理由があったとします。

しかし、「土地」と「りんごの木」はそのまま残っているわけです。

放置しておけば、木は枯れてしまい、土地も荒れてしまいます。せっかく育ててきたのに勿体ないですよね。

そんな時…。

「オヤジ、帰ってきたぜ！」

なんと、都会に出ていた息子が帰ってきました。

そこで、農家をやめようと思っていることを息子に話すと…

「だったら、俺が代わりに農家やるよ！」と、思いがけない言葉をもらえました。

こうして、あなたは息子に農園を譲ることにしました。

俺が代わりに農家やるよ！
息子にりんご農園を譲ることに…

農園を息子に譲る際、「土地」と「りんごの木」を、そのまま渡すことになります。

そして、「働く人」は、あなたから息子に変わるだけです。（イラストC参照）

これを、ウェブサイトに置き換えてみてみましょう。

つまり、サーバー（土地）と、ウェブサイトのページ（りんごの木）を、

【イラストC】

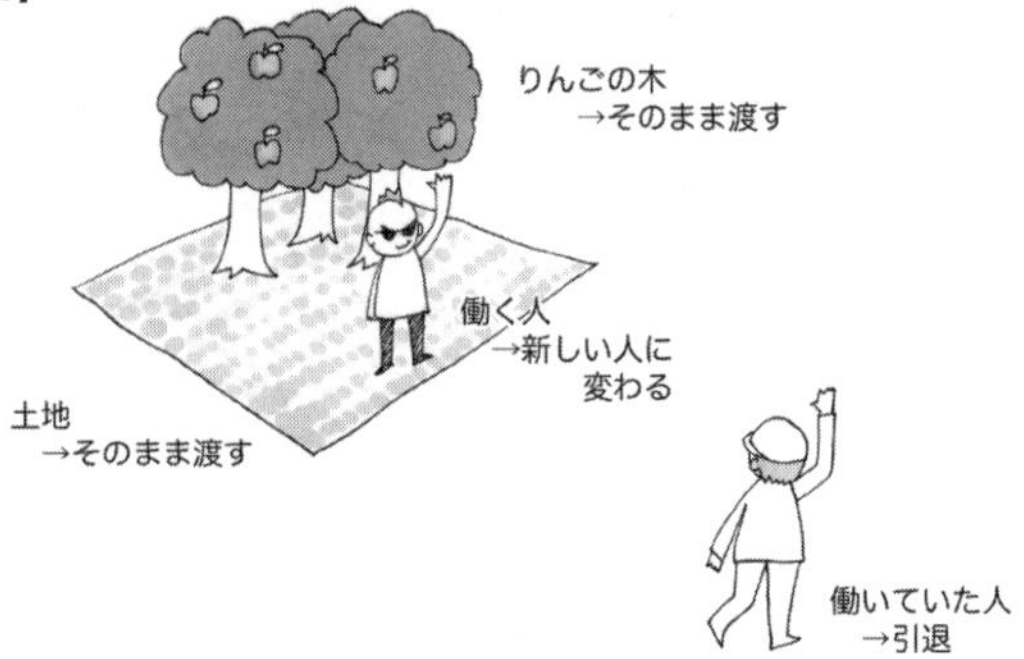

りんごの木
→そのまま渡す
働く人
→新しい人に
変わる
土地
→そのまま渡す
働いていた人
→引退

【イラストD】

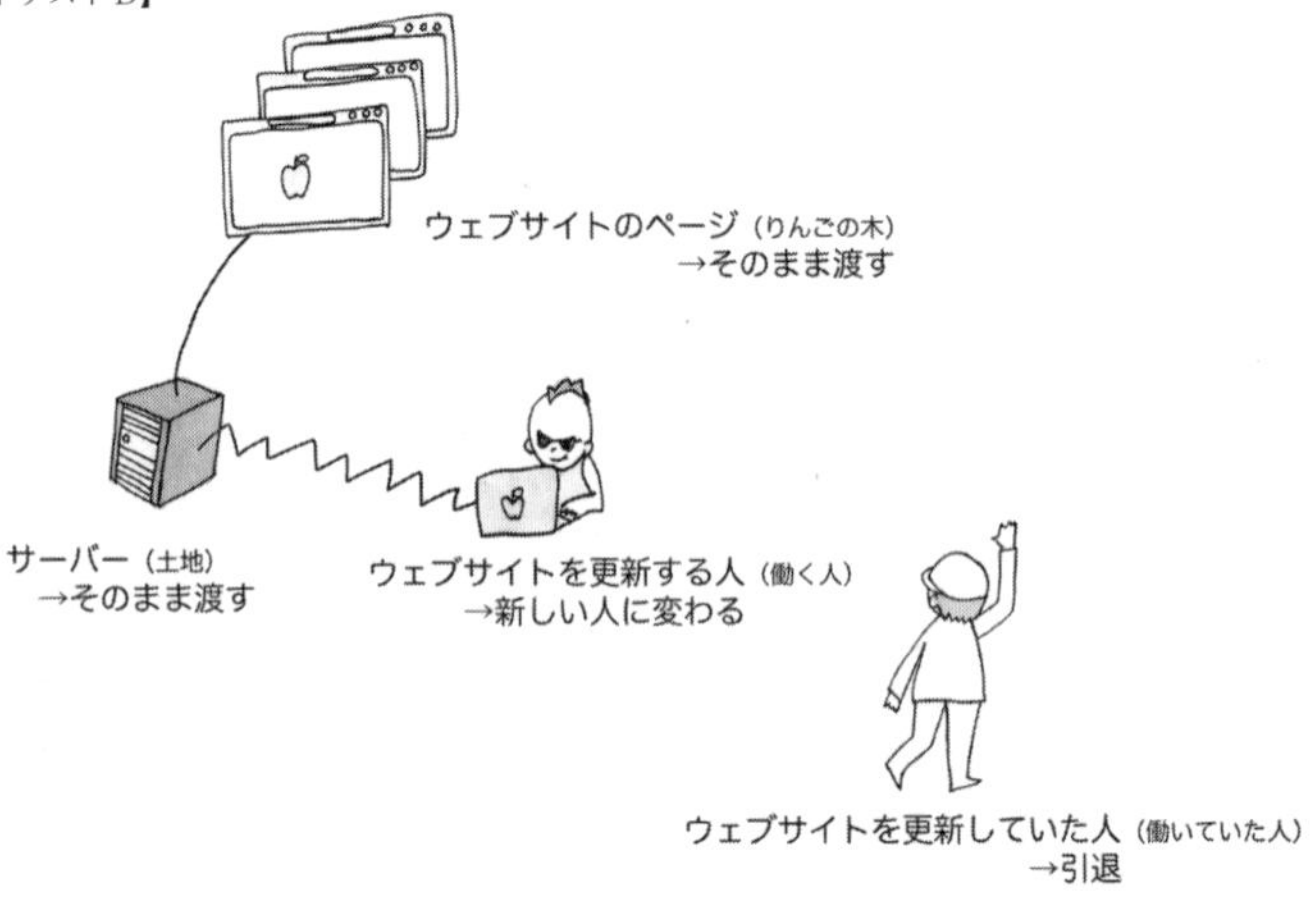

ウェブサイトのページ（りんごの木）
→そのまま渡す
サーバー（土地）
→そのまま渡す
ウェブサイトを更新する人（働く人）
→新しい人に変わる
ウェブサイトを更新していた人（働いていた人）
→引退

そっくりそのまま譲って、働く人だけが変わるのです。（イラストD参照）

これが、サイトM&Aです。

その際、譲ってもらったお礼として、相応のお金をいただくことができます。これがウェブサイトを売却した際にもらうことができる対価になります。（イラストE参照）

ただし、農家と違ってウェブサイトは特殊な点があります。

それは、サーバー（土地）は必ずしも譲渡する必要はないということです。

【イラストE】

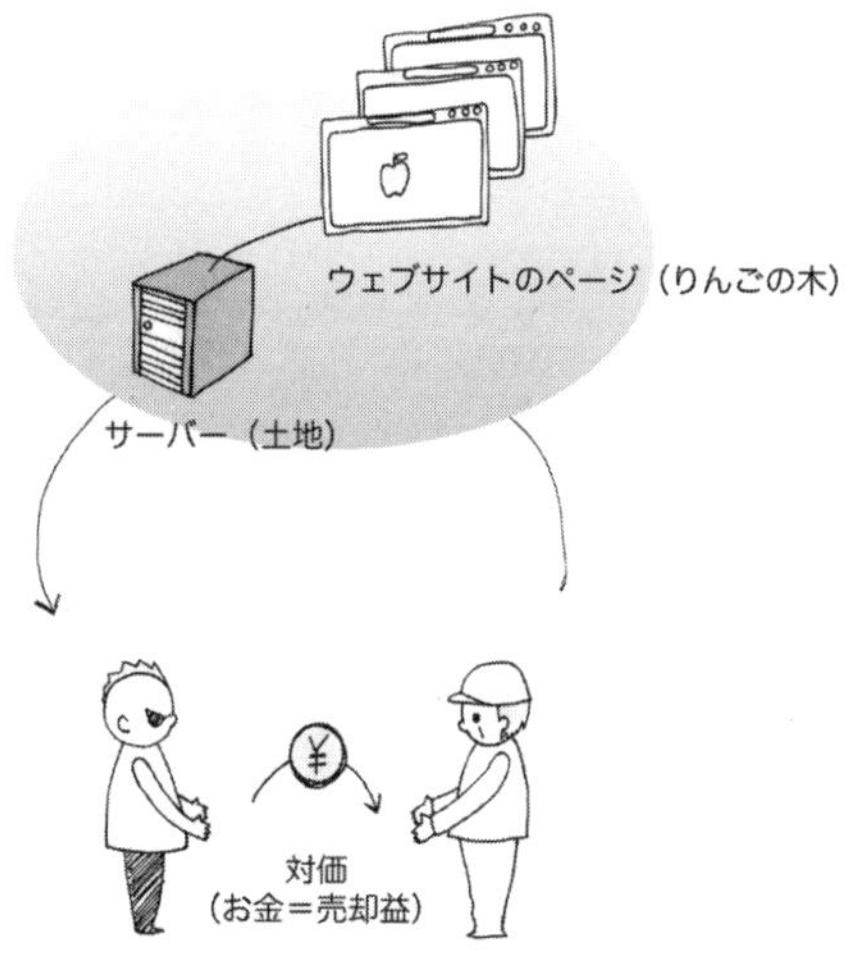

買い手のサーバー（土地）へ、ウェブサイトのページ（りんごの木）を引っ越しすることで譲渡することもできるのです。（イラストF参照）

農園のように土地が1つしかない場合、このようなことはできません。

また、売り手のサーバー（土地）では、複数のウェブサイトを運営していることがあります。

農家に例えると、同じ土地でりんご、ぶどう、みかん、など複数の農業をやっているようなものです。

よって、土地ごと渡してしまうと、本当は譲渡したいのはりんごだけなのに、ぶどうもみかんも譲渡してしまうことになります。

【イラストF】

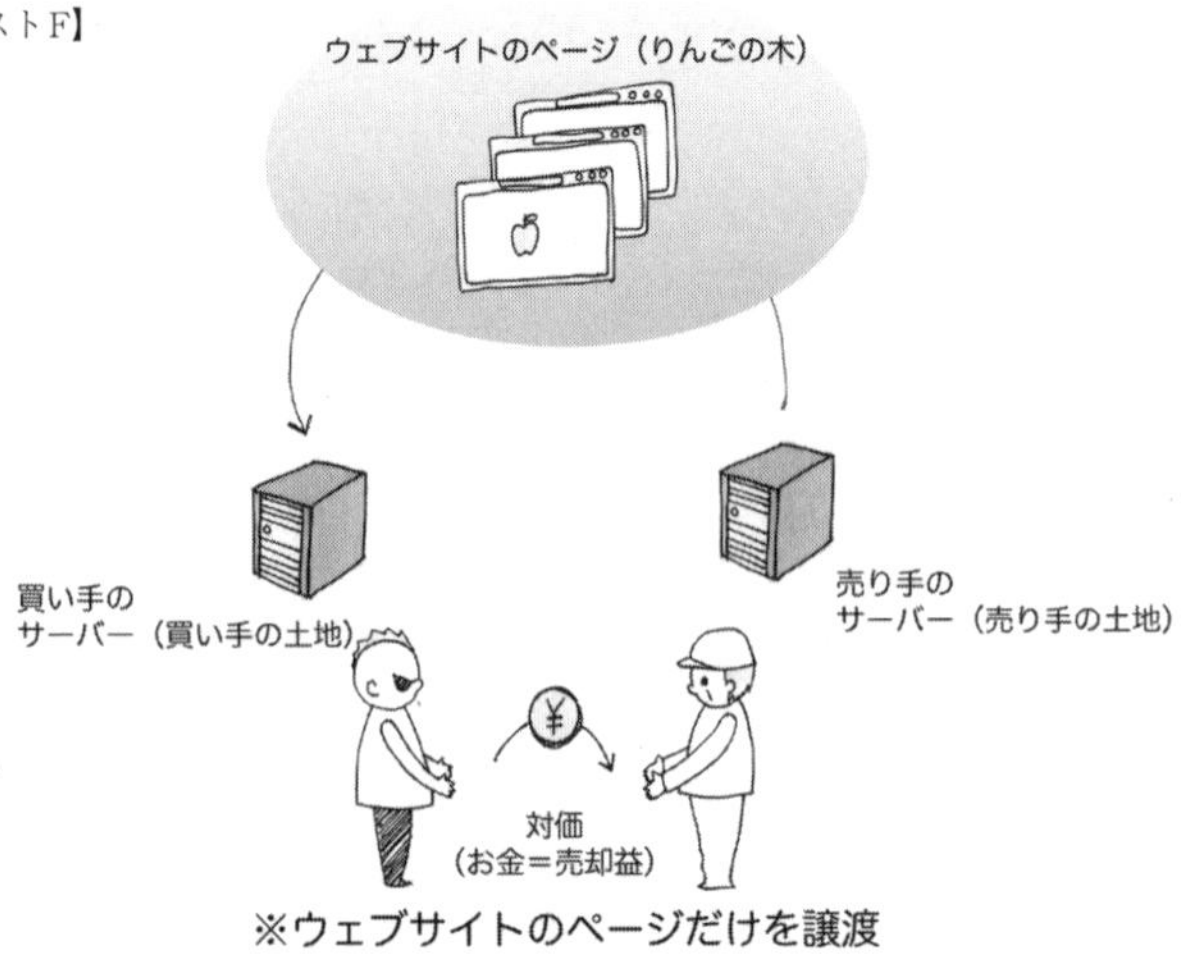

ウェブサイトのページ（りんごの木）
買い手の
サーバー（買い手の土地）
売り手の
サーバー（売り手の土地）
¥
対価
（お金＝売却益）
※ウェブサイトのページだけを譲渡

そこでサイトM&Aでは、ほとんどのケースで譲渡したいウェブサイトのみを買い手のサーバーに引っ越しをすることで、手続きを進めていきます。（イラストG参照）

【イラストG】

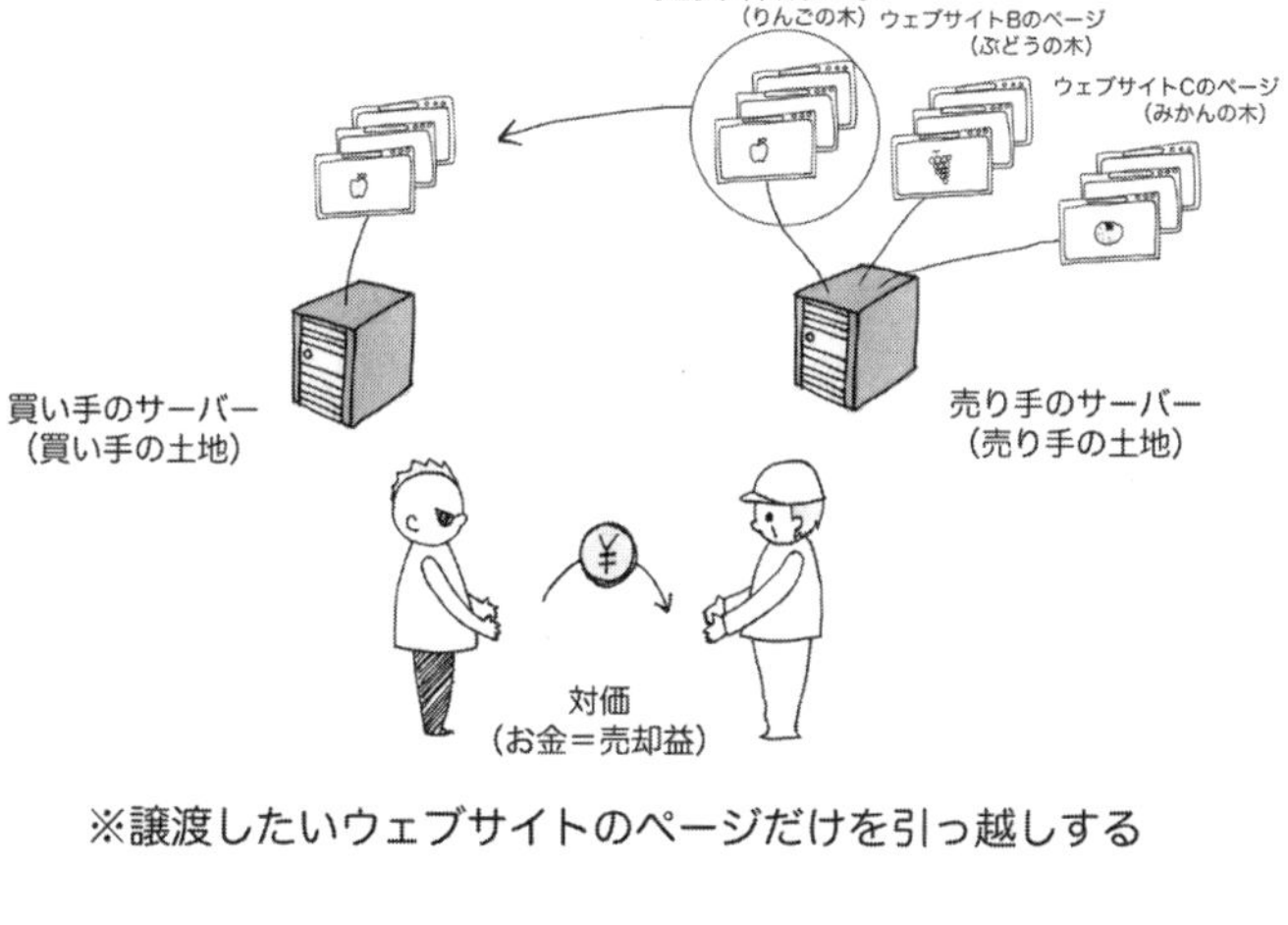
ウェブサイトAのページ
（りんごの木）
ウェブサイトBのページ
（ぶどうの木）
ウェブサイトCのページ
（みかんの木）
買い手のサーバー
（買い手の土地）
売り手のサーバー
（売り手の土地）
¥
対価
（お金＝売却益）

※譲渡したいウェブサイトのページだけを引っ越しする

3-3 バトンタッチした後も応援したい

さて、あなたは無事にりんご農家を引退できました。しかし、息子のことが心配です。

実は、ミュージシャンを目指して上京し、見切りをつけて戻ってきた息子は、農業についてまったく知らないのです。

そこで、手を焼きすぎると成長しないと考えたあなたは、リンゴを育てる手順や注意事項、土地の耕し方などを紙にまとめて息子に渡しました。

「オヤジ、ありがとう。これで勉強しながらやってみるよ」と、息子はとても喜んでいました。

しかし、それでもやり方が分からないことが出てきた場合はどうでしょうか。

そこで、息子が１人でリンゴを育てて売ることができるように、いつでも相談しに来て良いという約束をしてみました。

その後は、息子は月に数回は会いきて「これはどうするの？」と、仕事の質問をして、自分で解決していったのです。

これを、サイトＭ＆Ａに置き換えてみましょう。

サーバー（土地）と、ウェブサイトのページ（りんごの木）を、そっくりそのまま譲ることになりますが、新しくウェブサイトを運営する人（働く人）は、ウェ

りんごの木
土地
りんごを育てる手順
そこは○○するとよく育つよ

ブサイトの運営が初めてということもあります。

よって、農家の例のように、「ウェブサイトの更新のやり方」、「お客様とのメールのやり方」など、まとめたものを渡すのです。

ミュージシャンを目指した息子に、農業のやり方をまとめた紙のようなものですね。

これを「運営マニュアル」と呼んでいます。

（イラストH参照）

また、農家の息子のように、あなたがやり方をまとめた紙を渡しても、新しいウェブサイト運営者は分からないことが出てくるかもしれません。

そこで、いつでも質問して良いというような約束

【イラストH】

をしておきます。

これを「サポート期間」と呼んでいます。

（イラストI参照）

しかし、ウェブサイトを売却した人はいつまでも買い手をサポートすることができないこともあります。

そこで、「サポート期間」は期限を定めることがほとんどです。例えば、運営のサポートは6か月間、というように締め切り日をつくってしまうのです。

さて、ここまでりんご農家を例にサイトM&Aについて解説してきました。まとめると、このようになります。

【イラストI】

ウェブサイトのページ
サーバー
運営マニュアル
?
そこは○○するとアクセスが集まりますよ

・サーバー(土地)
・ウェブサイトのページ(りんごの木)
・ウェブサイトを更新する人(働く人)

ウェブサイトを譲渡するということは、「ウェブサイトを更新する人(働く人)」が変わり、「サーバー(土地)」「ウェブサイトのページ(りんごの木)」を新しい運営者に渡して、その対価としてお金をもらうことです。

ただし、ウェブサイトの場合、サーバー(土地)に複数のウェブサイトを運営していることが多いため、譲渡したいウェブサイトのページ(りんごの木)だけを買い手のサーバー(土地)に引っ越しをします。

また、買い手にウェブサイトの更新のやり方、お客さんとのメールのやり方などをまとめた「運営マニュアル」を譲渡したり、マニュアルだけでは不足する部分を「サポート期間」で補います。

いかがしょうか？

サイトM&Aは、農園を息子に引き継ぐことと本質は同じなのです。このように、イメージで理解しておくと、なんだか自分にもできそうな気がしてきませんか？

それでは、次の章からいよいよ、より実践的な内容に入っていきます。

もし分からないことがあれば、りんご農園を思い出して本質的な考え方をしてみてください。

第4章

サイトM&Aの仕組みを理解しよう

4-1まずは買い手とマッチングしよう

りんご農家の例では、たまたま帰郷してきた息子に農園を譲ることができました。が、継ぐ人がそばにいない場合はどうすればいいのでしょうか？どのようにして譲渡する相手を見つければいいのでしょうか？

2つあります。

1つは友人や知人に譲渡する、あるいは友人や知人に買い手を紹介してもらうという方法です。

友人がウェブササイトの運営に興味がある、あるいはすでに運営していて、あなたのウェブサイトを欲しているようでしたら譲渡しやすいでしょう。

ただし、あまり強引に買収を提案しても怪しまれる可能性もあります。そうなると、売却できないどころか最悪疎遠になる可能性もあります。

また、友人や知人に誰かを紹介してもらうという方法は、紹介してもらえたとしても時間がかかるだけでなく、買い手が欲するウェブサイトとは異なることがほとんどです。

実際、とある売り手様が「友人に買い手候補を何人か紹介してもらいましたが、時間と手間がかかったうえに交渉は全てダメでした」と、言っていました。じつのところ、効率的ではないのです。

奇跡的に打ち合わせが実現しても、「では、またご連絡します」と言われてしまい、まったく連絡がないという事がほとんどです。

もう1つの方法が、仲介サービスを使って買い手

私のサイトの特徴は〇〇で…
へ～ そうなんですね
本当かなぁ… ちょっと、あやしいぞ…

を見つけるという方法です。
いわゆる「仲介サイト」と呼ばれるものです。

この方法は、効率的かつ売却の可能性が非常に高いです。

なぜなら、買い手は仲介サイトを頻繁にチェックして欲しい売却サイトを探しているからです。
条件に合致したウェブサイトであればすぐに連絡をしてくれます。特にモチベーションの高い買い手はこの傾向にあります。

また、メールマガジンを発行している仲介サイトは、登録している買い手に対してあなたの売却サイトをメルマガでお知らせしてくれます。

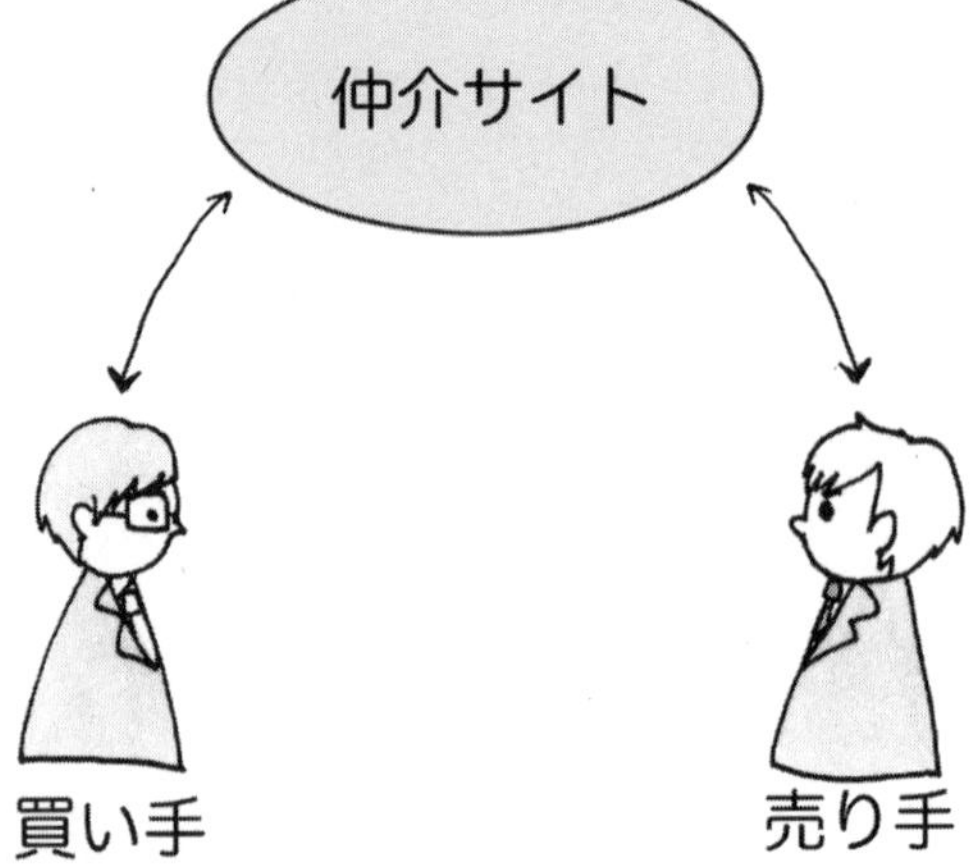

買い手が興味を持てば、早くて数分後には買い手から交渉の連絡がくることもあります。

このように、仲介サイトを利用すれば、買い手があなたの売却サイトに興味を持った状態で交渉してくれるのです。

これは大きなメリットです。中には1～2通メールをやりとりしただけで、買収の意思決定をしてくれる買い手もいます。

こういったケースは、買い手が欲しいウェブサイトをイメージしており、それに近いウェブサイトにのみ交渉をしているからです。

このような効率的な交渉や売買ができるのは仲介サイトの強みです。

もし、ウェブサイトの売却を検討しているのであれば、仲介サイトを活用してみましょう。スムーズに売買ができる可能性が高いので大変オススメです。

4-2　支払う料金を理解しよう

ウェブサイトを売却する際におすすめしたい仲介サイトですが、多くの場合利用料金がかかります。

前述したとおり、仲介サイトはウェブサイトが欲しい買い手のリストがあり、買い手とのマッチングを実現します。効率良く売買を進めることができるため、その対価を仲介サイトに支払うことは、当然と言えるでしょう。

ちなみに、本書で定義する利用料金とは、「仲介手数料」と「着手金」の２つです。

仲介手数料とは、売買が成立した金額に応じて発生するものです。

例えば、仲介手数料１０％、売買金額が５００万円であれば、仲介サイトに支払う金額は50万円になります。

また、着手金とは、仲介サイトに事前に支払う料金です。着手金が必要な仲介サイトは、どこよりも丁寧に仲介してくれるメリットがあります。

さて、ここで覚えておきたいことは、業界では仲介手数料のプランは大きく分けて2つ存在するということです。具体的には、「直接プラン」と「仲介プラン」の2つです。

これらの違いを事前に理解しておくことは重要です。

なぜなら、プランによって仲介手数料が異なるだけでなく、仲介サイトがサポートしてくれる内容まで大きく異なるからです。

仲介サイトの利用料は…

①着手金（売買成立前）

②仲介手数料（売買成立後）

仲介手数料のプランは…

A:直接プラン

B:仲介プラン

そうか、プランは2つあるから
どちらかを選ぶ必要があるんだな

自分に合うプランを選びましょう

それらを理解した上でさらに重要なことは、自分あるいは自分たちの会社に合うプランを選ぶということです。

どちらも一長一短ありますので、じっくり選んでいきましょう。

4-3　2つのプランの違いとは？

プランの違いについて解説していきます。「直接プラン」と「仲介プラン」のメリットデメリットをしっかり理解しておきましょう。

・直接プラン

直接プランは、その名のとおり買い手と直接交渉を進めていくものです。

もし、あなたがこのプランを選択した場合、自分1人で売却したいウェブサイトを客観的に評価しアピールして、買い手との交渉を自分自身で進めていく必要があります。

直接プランのイメージ

仲介サイトでのやり取り
本サイトに興味があります
ありがとうございます
私のサイトはこちらです
http:〜〜.com
すばらしいサイトですね
500万→300万に
値下げできますか？
いえ、それは
むずかしいです
PC
PC

このプランのメリットは、後述するもう1つのプランと比べて仲介手数料が安い点です。

業界平均で売買金額の3〜5%ほどです。

例えば、500万円のウェブサイトが売却できた場合、15〜25万円が仲介手数料になります。コストを抑えたい方は直接プランを選択しましょう。

ただし、買い手との交渉はもちろん、契約書の作成やウェブサイトの引っ越しなどは、自分たちで行うことが一般的です。

その際、いくつかのデメリットがあります。

①時間も手間もかかるため、不慣れだと大変

②買い手と揉めるケースも多く、トラブルに発展しやすい

③がんばって交渉を進めたにも関わらず、売却できないこともよくある

④仲介サイトは、何かあっても保証や手厚いサポートがないのが一般的

直接プランは、あくまで仲介サイトという「場所」を借りて、買い手とマッチングできた成果に対して手数料を払うイメージです。

慣れている方や、コストを気にされる方は直接プランを良く選ぶ傾向にあります。

交渉中…
買い手
売り手
料金は安いけれど
なんだか
大変だなぁ～…
PC
PC

直接プラン:仲介サイトという「場所」を借りる

・**仲介プラン**

もう1つのプランが、仲介サイトの担当者が売り手と買い手の間に入ってサイトM&Aを進めていくプランです。これを仲介プランと呼んでいます。

まずデメリットとしては、直接プランより仲介手数料が高いことです。業界平均で売買金額の10～15%ほどです。

例えば、500万円のウェブサイトが売却できた場合、50万円～75万円が仲介手数料になります。

直接プランと比べて高い手数料を払うメリットは、仲介のプロが間に入ることで円滑に売買が進められる点です。

また、プロがあなたの代わりに買い手を見つけてくれるため、手間がかかりません。契約書も一緒に作成してくれる仲介サイトがほとんどです。

さらに、プロが対応するため、直接プランと比べて売却できる可能性が高いです。良質な買い手とトラブルなくマッチングしやすい特徴もあります。

ただし、ウェブサイトの引っ越しは、基本的に自分たちで行う必要があります。

仲介サイトのほとんどは買い手とのマッチングのみで、それ以上のことは対応してくれません。

つまり、この仲介プランは、

・自分のウェブサイトの客観的な評価とアピールの代行
・代わりに買い手を探してくれる
・買い手と交渉してくれる
・トラブルなく手続きを進めてくれる
・契約書の作成代行

など、手厚いサポートがあるため、「初めての方や時間がない方」、「高確率で売却したい方」

には向いています。

慣れていない方は仲介プランを良く選ぶ傾向にあります。

仲介
PC
買い手
売り手
料金は高いけれど
安心できるし
楽でいいな…
PC
PC

仲介プラン:仲介のプロが交渉や手続きを担当

以上が、直接プランと仲介プランの違いです。

まとめると、直接プランの仲介手数料は安いというメリットはありますが、買い手との交渉やウェブサイトの引っ越しなど、自分でやることが多くトラブルもあることが特徴です。また、売却できないこともあります。コスト重視のプランですので慣れている方や料金を気にされる方にはおすすめです。

それに対して仲介プランの仲介手数料は高いこともありますが、交渉や契約書の作成など、プロが間に入って代行してくれるため、円滑かつトラブルがほとんどなく楽でスムーズです。

確実に売却したい、初めての方や時間がなくお任せしたい方向けのプランです。

第5章

値付けのしくみを理解しよう

5-1 会社M&AとサイトM&Aの違いとは?

日本では後継者がいない会社は100万社もあると言われており、前述したとおり、現在は会社のM&Aが盛んに行われています(株式会社レコフデータ「マールオンライン」参照)。

ところで、サイトM&Aは文字通り「M&A」という言葉が入っていますが、会社のM&Aと、そもそも何が違うのでしょうか?**ここを抑えておくと、さらにサイトM&Aは難しくないことだと理解ができます。**

慣れない話かもしれませんが、分かりやすく解説します。リラックスして読み進めてください。

会社を売買(つまりM&A)するということは、実質株を売り買いすることになります。

つまり、「会社を売却する=会社の株を売却する」ことなのです。

よって、会社を売却する（株を売却する）ためには、株の値段を計算して買い手に納得して買ってもらう必要があります。

株の値段を算出する方法はＭ＆Ａを仲介している会社によって異なるのですが、いくつも算出方法があります。

例えば、「純資産価額方式」「類似業種比準方式」「併用方式」「配当還元方式」などなど（参照：事業承継入門 株式会社きんざい）

文字を読んだだけでは、よく分からない難しそうな式ですよね。本書では詳しくは解説しませんが、これらの計算は簡単にできるようなものではありま

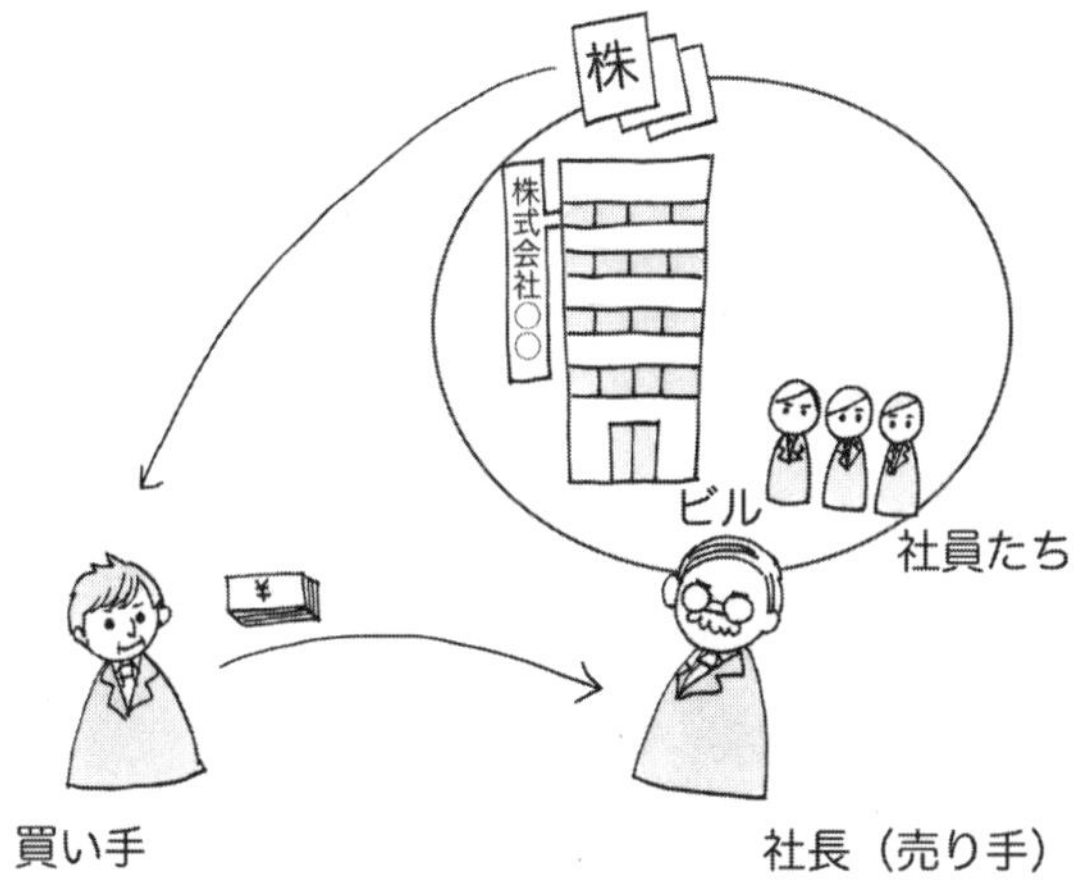

せん。
また、最近では「ディスカウントキャッシュフロー方式」という、未来の会社価値から逆算して値段を算出する方法も流行っています。

会社の値段を決めるだけでも「どの式を使いたいか？」「任せる仲介会社はどの式で算出して会社を査定しているのか？」を基準に、しっかりと意思決定していく必要があります。これだけでも相当時間がかかります。

会社の売却の場合、金額も大きくなることが大半です。数千万円や数十億円になることも多く、買い手の決断も慎重になります。売買のスピードも遅く

ディスカウント
キャッシュフロー方式
株
類似
併用
方式
純資産
価格
配当還元
方式
う〜ん…
売り手

なりがちで手軽さもありません。

最近では、創業からたった数年で何十億円という値段で会社を売却する事例などもありますが、まだまだ珍しいケースでしょう。

さらに、単純に株を渡してお金をもらうだけではありません。

会社を売却することになったので、

・取引先に挨拶にいく
・買い手に取引先などを引き継ぐ
・従業員の就業規則の改定
・人事異動

などなどやることは多くあります。

実務的なことではなく、買収してくれた会社の社員と売却した会社の社員が仲良く仕事できる環境つくりも必要なケースがあります。

そこで、会社を売った社長は1〜3年ほど雇われ社長として在籍して、社内コミュニケーションを円滑にするなど、一役買うことも多いようです。

「会社を売ろうか？」「どの仲介会社にしようか？」「値段が決まった。売るか売らないか？」「ようやく買い手が見つかった」「売却の最終決定をする」「引き継ぎをする」…。

これらのステップだけでも、数年はかかってしまうことが一般的と言われています。歴史ある会社で

就業規則の改定もやって
いろんな契約者も
巻き直さないと…
本日から
よろしくお願いします
社員たち
買い手
売り手

あれば、さらに事情は複雑でしょうから、より時間がかかるでしょう。

中には従業員の大反対に遭い社長が売却を諦めてしまうケースもあるようです。社内コミュニケーションがうまくいかないだけで、長い時間をかけて進めてきたことが台無しになってしまうのです。

そのため、仲介会社は「社長。揉めることが多いので、あまり社内で相談しない方が良いです」と、アドバイスすることもあるようです。

やることが多いだけでなく、孤独にもなりがちで社長の精神的な負担もでかいのです。

さて、これに対してサイトM＆Aはどうでしょうか?

実は、ウェブサイトはあくまで1つの事業として売買することが大半です。つまり、ウェブサイトを売るということは「事業譲渡」になります。株の売り買いではありません。

要するに、「会社を売却する＝株を売る」ということではなく、「会社の中にある1つの事業を売る」ということなのです。

あるいは、「個人事業主or個人（サラリーマンなど）が運営している1つの事業を売る」ということになります。

会社の場合

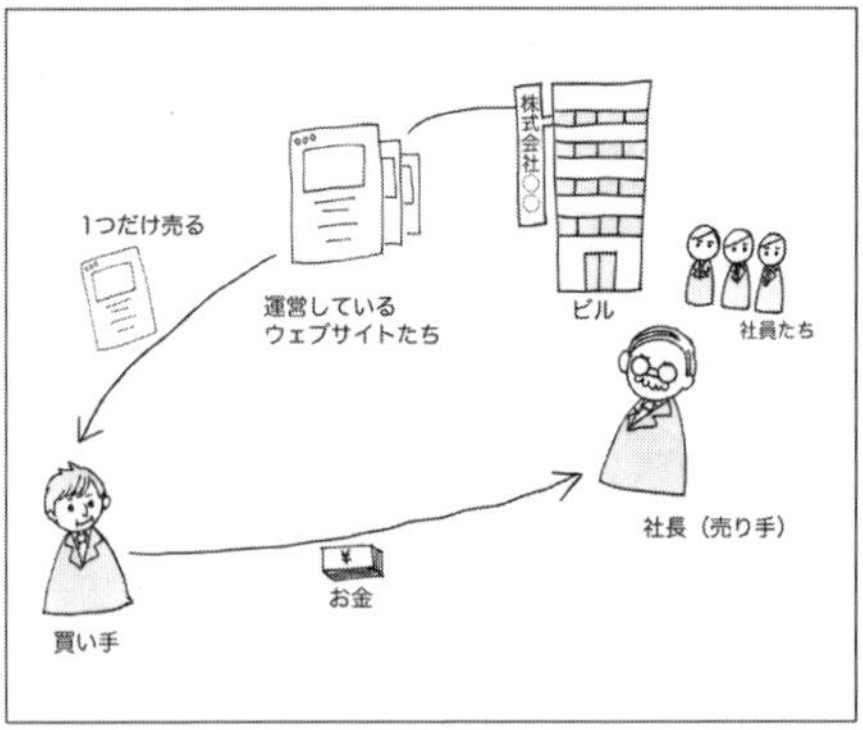

株式会社〇〇
1つだけ売る
運営しているウェブサイトたち
ビル
社員たち
社長（売り手）
買い手
お金

個人の場合

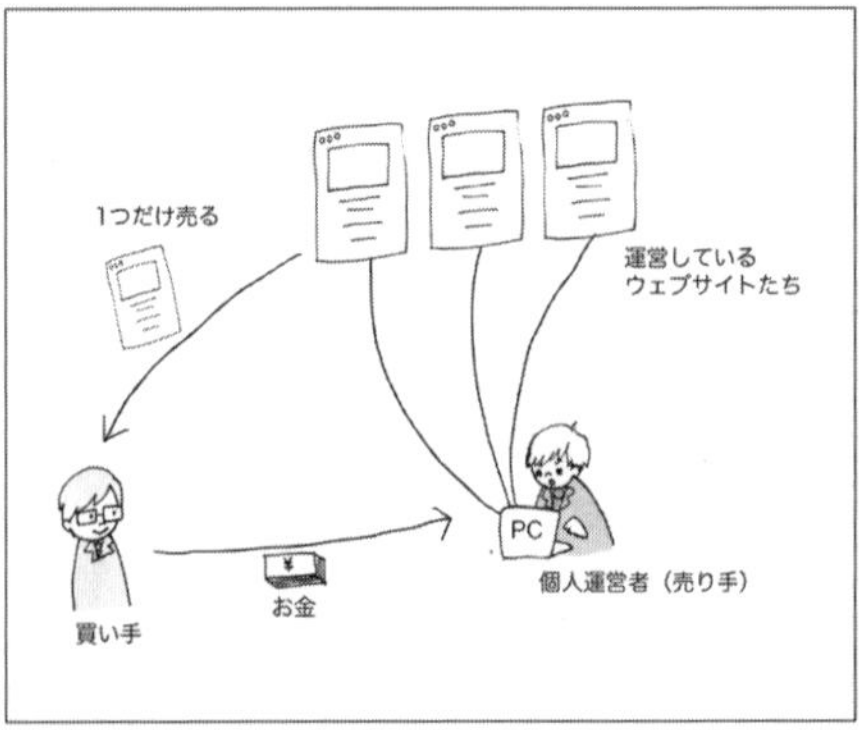

1つだけ売る
運営しているウェブサイトたち
PC
個人運営者（売り手）
買い手
お金

会社によっては何十サイトも同時に運営しており、手が回らなくなったウェブサイトや、会社の理念に合わなくなったウェブサイトを売却することがあります。

前述したように、サイトM&Aは、あくまで事業の売り買いになることが大半です。会社の売買と違って、株のやりとりは発生しません。

何十年とやってきた会社を売るわけではなく、数あるウェブサイトのうち不要になったウェブサイトなどをサクッと売ってしまうイメージです。

よって、手軽に売却する方は多いのです。

（例外として、会社で1つのウェブサイトしか運営していない場合、会社ごと売却することもあります。この場合は、会社のM&Aになります）

ただし、引き継ぎ作業は会社のM&Aと比べて楽、あるいは同じくらい大変（もしくはそれ以上）というケースと分かれます。

例えば、プラットフォームを利用したネットショップ。譲渡する対象はアカウントになるので、名義変更だけで引き継ぎが終わることがほとんどです。アマゾンアカウントの場合、名義変更だけで契約している倉庫も譲渡ができています（2020年12月までの売買実績より）。

その後、必要であれば買い手の運営サポートをするだけで完了します。とても楽です。

3－2の農園の例や、6－5でも説明しているように「ウェブサイトの引っ越し」だけで譲渡が完了するケースもあります。こちらも業者に委託してしまえば楽です。

ただし、店舗や工場と直接契約していたり、商標を取得しているネットショップなどは話が変わってきます。

全ての契約書を巻き直したり、就業規則を作り直すなど、会社のM＆Aと同じくらい、あるいはそれ以上に引き継ぎ作業が大変になることもあります。

ＩＴシステムなど会員がいるウェブサイトの場合も、ユーザーへの告知や売却に伴う退会ユーザーへの対応など、やることは多くあります（一般的な事業譲渡の手続きであり顧問弁護士に確認済）。

しかし、これまで仲介させていただいたウェブサイトのほとんどは、引き継ぎの作業は楽にスムーズに行われてきました。どんなに煩雑化していても１か月ほどで終わりが見えています。

また、会社を売ることよりも手軽に行えるため、精神的な負担も軽く意思決定が早いため、売買スピードが早いことも特徴です。

その証拠に、「売却開始」〜「全ての手続き終了」まで、最短で１週間ほどで完了したケースもあります。会社のＭ＆Ａが数年はかかると言われる中、あり得ないスピード感です。

さらに、取引金額も数万円から数百万円が多く、売買の手軽さに貢献しています。「これくらいの金額であれば、試しに買ってみます」という買い手は、毎月のように現れます。

まとめると、会社を売る場合は、株の売買になるため株の値段を計算し、さらに丸ごと全て譲渡する必要があるため時間もかかります。

金額も大きく買い手の意思決定に時間もかかり、精神的な負担も大きいです。


対してウェブサイトを売る場合は、多くが事業単位の売却になります。

やることも少ないケースが多く時間もあまりかかりません(場合によっては会社M&A並み、あるいはそれ以上に複雑になることもあります)。

売買金額も安いため気軽に売り買いできます。精神的な負担も少なく手軽です。

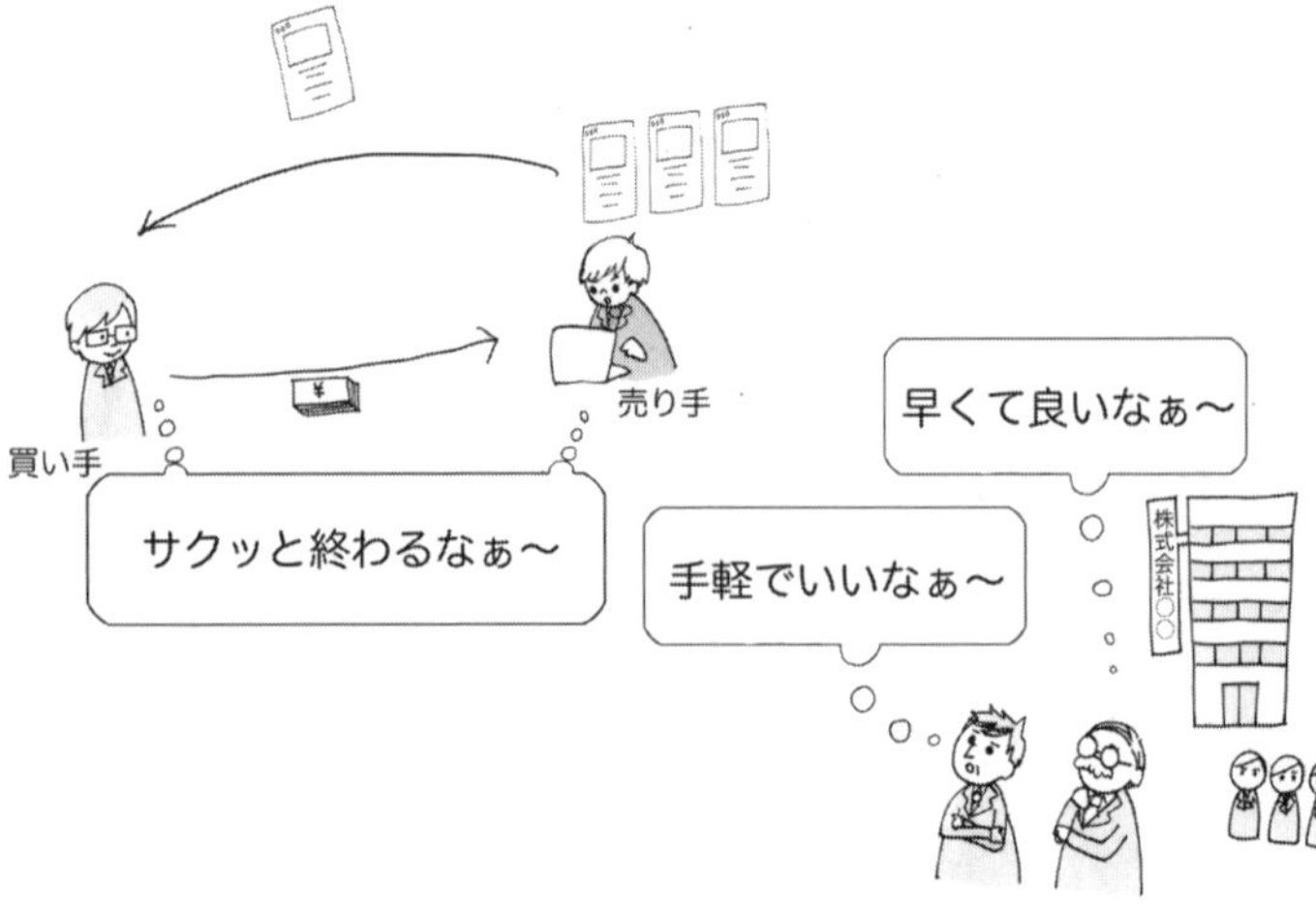
売り手
買い手
サクッと終わるなぁ～
早くて良いなぁ～
手軽でいいなぁ～
株式会社○○

ウェブサイトのＭ＆Ａは、会社のＭ＆Ａと比べてそこまで難しいことではないと理解できたのではないでしょうか。

むしろ、こちらの比較表からも分かる通り、「手軽さ」「スピードが早い」「小規模」という特徴があるため、会社Ｍ＆Ａより簡単であると言えるのです。

会社Ｍ＆ＡとサイトＭ＆Ａの比較

	会社M&A	サイトM&A
売り手	会社	会社or個人
譲渡するもの	株	ウェブサイトor株
売却金額の規模	数千万円～数千億以上	数万円～数百万円（市場平均）
精神的負担	大	少
手軽さ	×	○
スピード	×	○
売却の作業	やや多い	少ない～多い
売却後の作業	少ない～やや多い	少ない～多い
特徴	規模が大きい。何十年と経営してきた会社は人生をかけて決断することも。譲渡物は株だけになるのでやることは多い。しかし、作業自体は簡単なことが多い。	小規模かつ手軽に売買できる。精神的負担も少なく取引スピードも早い。場合によっては、会社M&Aよりも作業が煩雑になることも。

5-2　たったこれだけ！ウェブサイトの値段を決める一般公式

会社を売る時は株の計算方法がいくつもあるということはお伝えしました。

さらに、簡単には計算ができない式がほとんどですし、仲介会社によって採用する式が異なります。

それに対して、ウェブサイトの値段を算出する方法は今のところ1つしか存在していません。業界の通例として、ある1つの式だけで値段を決めています。

それでは、ウェブサイトの場合、どのように値段を算出するのでしょうか？

結論からお伝えします。

こちらの式で算出することが業界の通例となっています。

直近6か月の月間営業利益平均×18～24（2020年データより算出）

非常にシンプルな計算式ですが、「月間営業利益平均」という言葉が聞きなれないと思います。これは、サイトM&Aで使われる造語です。

まずはこの言葉から説明します。

営業利益という言葉は聞いたことがある方もいると思います。

会社が1年間の活動を通じて、売上から経費などを差し引いて最終的に残ったお金のことです。

・営業利益＝売上高－売上原価－販売費および一般管理費

営業利益は本業の利益とも言われるくらい会社にとっては重要な数字です。

さて造語である「月間営業利益」とは、簡単に説明すると、営業利益を1年間ではなく月単位で表したものです。

・月間営業利益＝（売上高／月）－（売上原価／月）－（販売費および一般管理費／月）

ざっくり説明すると、ウェブサイトが売上を上げ、給料などの経費を使って1か月間に残ったお金のこと（＝月間営業利益）です。

あまり難しく考えずに、ここではその理解で問題ありません。

ちなみに、なぜ1年ではなく1か月なのでしょうか？

一般的にはウェブサイトの寿命は短く、かつ業界の動きが早いと考えられています。そのため、年単位で成績を見るのではなく、1か月単位でウェブサイトの成績を見て、売り手と買い手で譲渡金額を決めてきた歴史があるからです。

繰り返しになりますが、月間営業利益は「毎月いくらお金が残っているのか？（いくら利益が出ているか？）」という数値であり、これがサイトM&Aでは譲渡金額を決める上で、重要な数値になります。

もう一度、式を見てみましょう。

直近6か月の月間営業利益平均×18～24（2020年データより算出）

月間営業利益の直近6か月を平均した金額に18～24をかけることで、売買金額を決めていきます。

具体的な例があった方がいいと思うので、以下のようなウェブサイトを例に実際に金額を算出していきましょう。

	売上高（万円）	経費（万円）	月間営業利益（万円）
1月	100	30	70
2月	100	40	60
3月	70	0	70
4月	50	0	50
5月	150	50	100
6月	100	30	70

　　70＋60＋70＋50＋100＋70＝420

420／6＝70

∴月間営業利益平均＝70万円

よって、

70万円×18〜24＝1260〜1680万円

　このように売買金額を決めていきます。

　つまり、このウェブサイトは紆余曲折あったようですが、直近6か月は平均すると毎月70万円のお金が残る（利益が出ている）ウェブサイトと言えるのです。

ちなみに、この70万円に18～24をかけるということは、買い手が18か月～24か月で買収したお金を回収できるという計算になります。この数値を元に買い手は買収判断をします。

よって、この月間営業利益は重要な数字になるのです。

余談ですが、私が売却した当時はこの「18～24」という数字が、おおよそ「10～12」でした。つまり、買い手は「10か月～12か月で回収できたら買収した」いという業界だったのです。

実は、今でも数字は上がっておりますので、今後は「30～34」という数字が業界の基準になるかもしれません。**今のところ売り手市場が続いているのです。**

もちろん、ある一定の数字に達すると以前のように「10～12」に下がってしまうこともあるでしょう。

また、コロナウィルスが２０２０年３月頃から日本全体に大きな影響を与えています。

今後、ますます不況になれば、売却案件は多数出てくると予想されます。

そうなると、今度は買い手市場になり、相対的に売却金額は下がってしまうでしょう。

よって、高値で売りたいのであれば、今は絶好のタイミングと考えられます。このチャンスを逃すことは大変もったいないことです。

ちなみに、計算式は毎年変動しており、かつウェブサイトのジャンルによっては参考にできないこともあります。詳細は仲介サイトに状況を聞いてみるといいでしょう。

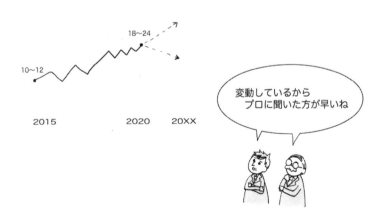

5-3 売上や利益が出てない場合の売却方法とは？

5-2の内容を見ると、「うちのウェブサイトは売上も利益もないから売却できないのか」と、思う人がいるかもしれません。

しかし、結論から申し上げますと、売上や利益がなくても売却は可能です。

2-3でも触れましたが、ウェブサイトに問題があっても、売れないことはありません。

その証拠に、「はじめに」でお伝えした40万円で売却できた私のサイトは、半年間以上も運営してたったの数万円ほどの売上でした。

直近の半年間でみると月間営業利益平均は千円もありませんでしたので、売上は0に近い状態だったのです。

5-2の計算式に当てはめれば、0〜2万円で売却できれば御の字です。しかし、20倍の値段で売却できました。

また、仲介させて頂いたとあるウェブサイトの売上は0円。一度も売上が発生したことはなく、ドメイン代やサーバー代によって毎月赤字でした。月間営業利益はマイナスです。しかし、150万円で譲渡金額が決定しマッチングが実現しました。

さらに、とある別のウェブサイト。これも売上は一度も発生したことはなく、ドメイン代やサーバー代によって毎月赤字でした。

先ほどのウェブサイトと同じく月間営業利益はマイナスです。しかし、100万円で譲渡金額が決定しています。

なぜ、このような事が実現したのでしょうか？

理由は2つあります。

1つは、売上がないウェブサイトには買い手にとって魅力的な「何か」があったことです。

具体的に言うと、売上や利益以外の「数字」が買い手にとって魅力的であり、買収の決め手

になったということです。

例えば、私が40万円で売却できたウェブサイトは、以下のような数字がありました。

売却当時の数字

・1日の平均セッション：270〜330
・1日の平均ページ閲覧数：800〜900PV
・直帰率：57.88%
・1日の平均滞在時間：4〜5分
・リピーター：34.6%・メルマガ登録率（CPC）：55%

売上はほとんどないものの、これらの数字から「買収後の運営次第では大きく化ける可能性がある」と感じた方が、このウェブサイトを買収してくださいました。

結果、この方は7ヶ月で40万円を回収し、売上も20倍以上にも伸ばしてくださいました。

さらに、サブスクリプション（月額課金）を導入し、安定した収益も実現していました。
このお知らせを聞いたとき、本当に嬉しかったです。

また、先ほどの150万円で売却できた赤字サイトは以下のような数字がありました。

売却当時の数字

・キーワード検索で多数の1位表示
・ページ数：31289ページ
・1日の平均ページ閲覧数：1000〜1200PV（毎月増加中）
・1人あたりのページ閲覧数：4.5ページ

同じように、これらの数字から「買収後の運営次第では大きく化ける可能性がある」と感じた法人が、このウェブサイトを買収してくださいました。

また、売上や利益がないウェブサイトでも売却できたもう1つ理由もお伝えします。

それは、ウェブサイトの運営理念やコンセプトがあるかどうかです。

例えば、世の中の社会問題に切り込んで問題や課題を大きく変えていくことを目的として立ち上げたウェブサイトなどです。

「このウェブサイトは、思いや実現したいことはあるけれども、売上には繋がらなかった。しかし、うちで運営すれば売上は出せるかもしれない」

こういう買い手から交渉が来ることもあるのです。

先ほどの１００万円でマッチングできた赤字サイトは、まさにこれです。

買い手は、「あつい理念にびびっときました」と興奮していました。

まとめると、「売上や利益以外の数字」か「理念やコンセプト」のいずれか、あるいは両方が買い手にとって魅力的であれば、売却の可能性は十分にあります。

しかしながら、売上があり月間の営業利益がプラスであるウェブサイトの方が、売却スピードや交渉のしやすさがあり、高く売れることは覚えておいてください。

○○という社会問題を
解決しようと立ち上げました
・売上０円
・閲覧数2000PV/日
・メルマガ登録率55%
・滞在時間5分
売上はないけれど…
「その他の数字」
「理念・コンセプト」が
すばらしい〜！
買い手
ウェブサイト
売り手

５－４最終的には買い手と決める

売却をする際に気をつけたいことがあります。

それは、売却金額を算出する式は、あくまで「売買の標準となる金額」を算出するためのものである、ということです。

計算してみて「１０００万円で売れるだろう」と思っても、そこから買い手からの交渉が入るため、金額は変動することがほとんどです。

そして最終的には、買い手と合意した金額が売買金額になります。

例えば、１０００万円で提示しても、買い手が交渉上手で８００万円になってしまうこともあります。

ひどいケースですと、３００万円になるような大幅な値下げで売却してしまうこともあります。

その逆もあり、１０００万円が１５００万円になったりもします。売り手の交渉がうまい場合、このような結果になります。

つまり、買い手との交渉が非常に重要になるのです。

ただし、どうしても事情があり早く売却したい場合、あえて金額を下げて1000万円を500万円で売却するということもあります。

後述しますが、売却する際に事前に決めておくべきことは売却の目的です。

ここがブレてしまうと、「この買い手に売っていいのかな？」と迷うことになります。

迷っている間にチャンスを逃すこともありますので、しっかりと目的ははっきりとさせておきましょう。

こちらについては8章で詳しく解説しています。

【例】公式では1000万だったけど…

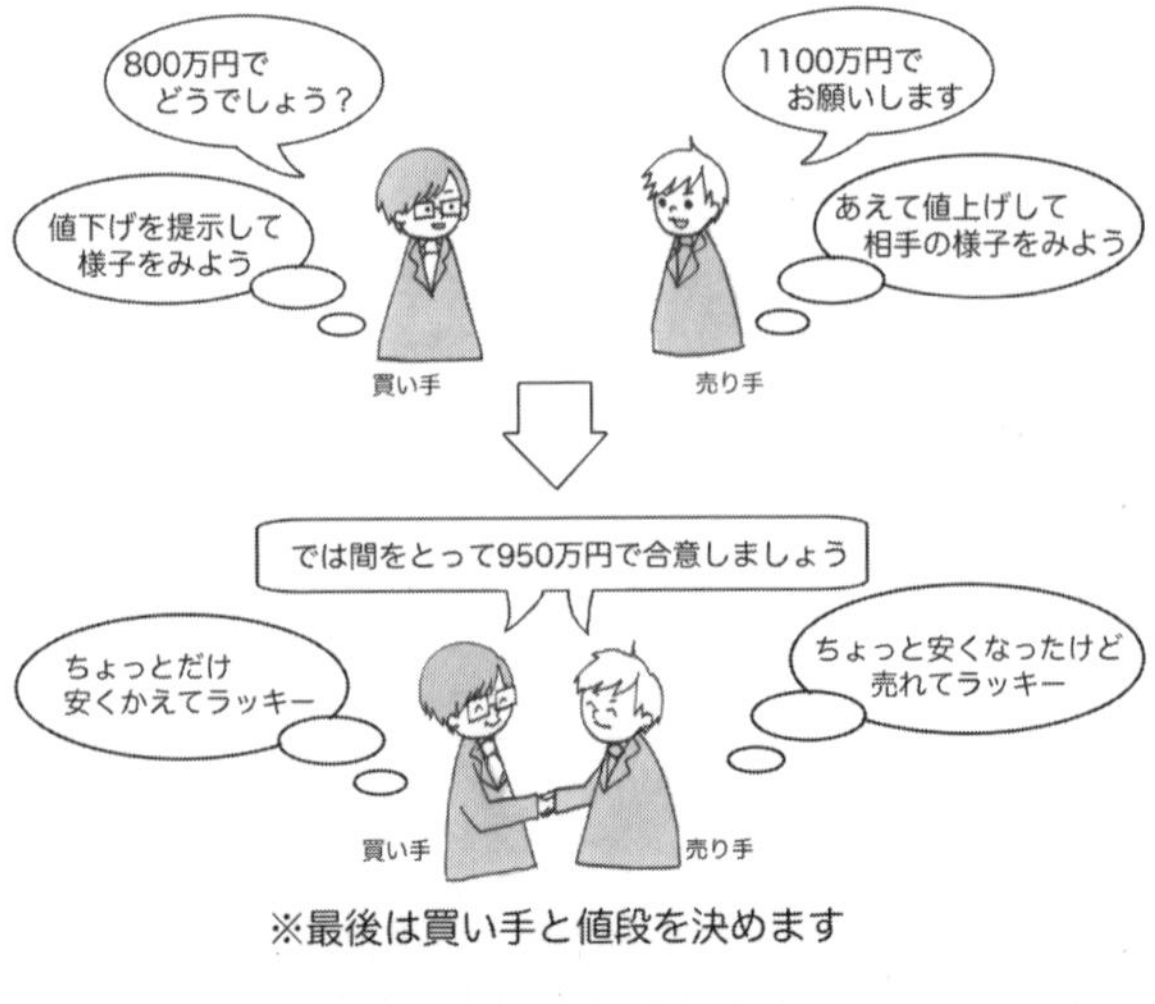

※最後は買い手と値段を決めます

第６章

スムーズな売却の手順とは？

さて、仲介サイトでウェブサイトを売却する際は、２つのプランがあるとお伝えしました。

「直接プラン」と「仲介プラン」ですね。

この章でお伝えする売却の手順は、どちらにも当てはまるように、概要をお伝えしていきます。

この流れ通りに進めていけば、スムーズに売却できるはずです。

知っているかいないかで、大きく結果が異なりますので、しっかりと理解して欲しいと思います。

6－1　これがあると効率的！買い手向けの資料をつくろう！

あなたが思っている以上に、買い手は慎重です。特に数字は気にします。

よって、売却の決意を固めたら、まずはウェブサイトの数字をまとめることをオススメします。

特に買い手が知りたい情報は、「アクセス数」「売上」「経費」「ドメインの年齢」「ページ数」などです。

これを一枚のシートにまとめておくと良いです。

また、「ビジネスモデル」「利用しているドメイン会社、サーバー会社」「スタッフや在庫の有無」「取引先や外注の引き継ぎ」なども記載しておくと、さらに良いでしょう。

とは言っても、どのように資料をつくったら良いか分からないと思います。

そこで、情報を入力するだけで買い手向けの資料が完成するシートをダウンロードできるようにしました。

こちらは、実際に活用しているシートの簡易版にはなりますが、これくらいまとめておけば買い手も安心して交渉してくれるはずです。

より本格的なシートは多少時間がかかります。まずは、簡易版で作業を進めてみると良いと思います。

ぜひ、参考にしてみてください。

・エクセルシート簡易版ダウンロード→https://saitoma.com/book-s1

ところで、なぜ売却手順のはじめが資料作りなのでしょうか？

それは、事前に数字や情報をシートにまとめてさえおけば、コピーして複数の買い手に渡すことができ、非常に効率良く売却できるからです。

シートの情報は買い手からよく来る質問にすでに回答していることになっているため、交渉の2度手間が減ります。これは大きなメリットです。

例えば、何十人にも、「ここ最近の売上はいくらですか？」と同じ質問をされると、回答するだけで面倒になってきます。

追加で質問もどんどん飛んできますので、売却にかかる時間は相当になります。

結果、無駄なエネルギーだけを使ってしまい、売却に対するモチベーションが下がりかねません。

そこで、シートに数字と情報をまとめておいたものを先に渡してしまうことで、ムダな質疑応答がなくなり、あなたは厳選された質問に対応するだけで良くなるのです。

これは本当にスムーズな交渉となりますので、ぜひやってみてください。

余談ですが、会社の売り買いではノンネームシートと呼ばれるものを事前に作成し、買い手がそれを見て交渉します。

これは、売上や利益などをまとめたもので、先ほどのシートと同じような役割を果たしています。

会社の売り買いでも、先に売り手が情報をまとめているのです。ぜひ参考にしましょう。

ちなみに、シートを見ただけで買収を見送る方も出てきますが、さっさとNOをもらった方が効率的です。

逃げていく買い手を必死に説得すると、かえって不信感だけを与えてしまいます。

相手に買収の意思がないのであれば、早めに「買収しない」という返答をもらいましょう。

そして、本気で買収したいと思う会社や個人に出会うために時間を費やした方が賢明です。

言うなれば、このシートを見て前のめりに交渉あるいは質問をしてくる買い手だけとコ

ミュニケーションすれば良いのです。
そういった意味でも、シートを先に作成しておく意義があります。

わかりやすい資料！
買います！
PL表
このような
買い手を
探すことが重要です
私は見送ります
早めに買収しない返事をもらい
すぐに買いたい人を探す方が効率的

6-2 買い手に伝わるウェブサイトの説明文を作ろう

次に、作成したシートを元に売却するウェブサイトを説明する文章をつくりましょう。

これは直接プランで売却する際、仲介サイトに掲載されるものになるため極めて重要な文章になります。

なぜなら、買い手が「交渉してみようかな？」と思うような、魅力的な文章にする必要があるからです。

そもそも、問い合わせをいただけないと、交渉すらできません。交渉に繋げるための大事な入り口となる文章だと覚えておいてください。

もっと言えば、買い手はこの文章を読むことでしかあなたのウェブサイトを判断できないのです。

理由は、直接プランではウェブサイトのＵＲＬを非公開にすることが多く、問い合わせをもらってはじめて売り手から買い手にＵＲＬを教えるからです。

買い手は、売上やアクセス数などの数字とあなたが書いた文章で、なんとなくウェブサイトをイメージして最初の問い合わせをしてくれるのです。

もしも、この文章が曖昧で雑だと買い手がイメージしにくく、問い合わせが減ってしまうのです。下手すると、怪しまれてしまうこともあります。

要するに、自分のウェブサイトが特定されないように、かつ問い合わせをしたくなるような書き方をしていく必要があるのです。

では、一体どのように書けば良いのでしょうか？

ポイントとしては、しっかりと数字で語ることです。例えば、「このサイトはすごいです」という抽象的な表現はしてはいけません。

そうではなく、「このサイトは1年以上も安定して月商500万円かつ月間営業利益平均が300万円あるので、ビジネスとしての価値がある」というように、客観的に数字と根拠を並べて主張していく必要があります。

具体的な書き方は、それだけでも数時間の講座が出来てしまうほどです。なので、本書では解説上、売却手順の概要をお伝えするだけに留めます。

ただし、1つだけアドバイスをお伝えします。それは、仲介サイトに掲載されている文書を参考にしてみる、ということです。

特に「成約済」となっている売却案件は要チェックです。何かしらのヒントがあるはずです。

人によっては筆が進まないということもあると思いますが、まずは思い切って掲載してみることをオススメします。掲載してみると、思った以上に反響があることもあります。

ちなみに、仲介プランの場合、こういった文章作成も代行してくれる仲介会社があります。

やってみると分かりますが、自分が作ったウェブサイトを客観的に説明し「買いたい！」と思わせる文章作成は案外難しいものです。

ライティングに自信がない、という方は時間節約のためにも仲介プランを選択した方が効率的でしょう。

お～このウェブサイト
少し興味あるな～。
交渉してみようかな…
売りたいウェブサイトを
客観的に紹介しつつ
買いたくなるライティングを…
んー、よくわからない…
あやしいからやめておこう
買い手の脳内会話は
だいたいこんな感じです。

6-3 焦らないで大丈夫。買い手との交渉はこの4ステップで進めよう。

直接交渉であれば、ウェブサイトの紹介文を見て、買い手から問い合わせメールが来ます。ここから、いよいよ売買交渉がスタートするわけです。

はじめての場合、緊張して焦ってしまうこともあると思いますが、1つずつ進めていきましょう。

まず、ざっと一般的な売買交渉の流れを説明します。

①買い手から問い合わせメールが届く。内容は「興味があるのでウェブサイト情報を頂けませんか?」というものが大半なので、URLや作成したシートを添付して送る。

②興味があれば買い手からいくつか質問が届く。1つずつ回答していく。(この段階で疑

問がなければ、買収を即決してくれることもある）

③お互いに必要と判断すれば面談を行う。遠方であれば、電話やビデオ通話を行う。

④買い手が意思決定を行う。買収見送り、音信不通による未回答などの場合は、①に戻り次の交渉を進めていく。

ざっと、このような流れになります。

ちなみに、直接プランは①～④を全て自分で行い、仲介プランは①～④のほとんどを仲介会社が代行してくれます。

この流れを知っておくだけでも、どちらのプラン

①～④は
全て自分でやろう
直接
プラン
買い手
売り手
仲介
プラン
買い手
売り手
仲介
①～④を
代行します

交渉の負担はプランによって異なります

が自分に合っているか判断材料になると思います。

さて、ここで重要かつ多くの売り手が迷ってしまうことがあります。

それは売却金額の交渉です。

「どうしてもこの値段より下げることはできない」

「断られたらイヤだから値下げしちゃおうかな」

と、間違った交渉でチャンスを逃したり、安すぎる価格で売却してしまう人もいます。

もちろん、サイトM&Aには正解はありませんが、金額を意思決定する上で参考になるものがあります。

詳しくは第8章で解説してありますので、そちらを参考にしてみてください。

6-4　契約書の作成は慎重に

買い手との交渉の末、ようやく譲渡金額が決定したら、すぐに契約書を作りましょう。とても重要な作業になりますので慎重に進めていきましょう。

中にはネットでダウンロードできる簡易的なもので済まそうとする方もいます。が、あまりオススメしません。

というのも、売却したウェブサイトに何かしらのトラブルがあった際、曖昧な契約書であれば、売り手であるあなたに全責任がのしかかることもあるからです。

せっかくウェブサイトの運営から自由になれたのに、これでは心が休まりません。

最もオススメする方法は、司法書士か弁護士に売買契約書の作成を依頼することです。

そして、売り手も買い手もｗｉｎ－ｗｉｎになるような内容を作りあげることです。

ただし、ここで注意点があります。

実は、司法書士か弁護士であっても法的な知識があるだけで、必ずしもウェブサイトの売買契約書作成に慣れている訳ではない、ということです。

例えば、作成を依頼した司法書士もしくは弁護士が、実はウェブサイトの売買契約書ははじめて、というケースはざらにあります。

さらに、売り手と買い手の間に入って公平なアドバイスをくれる司法書士か弁護士は、とても少ないということを覚えておいてください。

作成に慣れていない司法書士か弁護士は、「○○という記載をすると、こういうデメリットがあります。また、▲▲という記載をすると、先程のデメリットは防げますが、今度は別のデメリットも出てきます。どうしますか?」というスタンスがほとんどです。

あくまで作成を依頼した側が主体的に内容を作っていく必要があるのです。売り手であるあなたも買い手としっかりコミュニケーションし、司法書士もしくは弁護士の見解を参考にしてｗｉｎ－ｗｉｎになる契約内容を買い手と一緒に作っていきましょう。

つまり、司法書士もしくは弁護士に依頼したからと言って、丸投げで何とかなるということではないということは覚えておいてください。

しかしながら、仲介会社と何度も契約書を作成したことがある司法書士もしくは弁護士であれば、話は別です。事前にそういった弁護士や司法書士を見つけておくとスムーズです。

最も簡単に探す方法は、ネット検索でＩＴに強い弁護士に相談をすることです。弁護士ドットコムですと、無料で相談もできます。

３～５名ほどに「サイトＭ＆Ａの契約書はお願いできますか？」と、気軽に相談してみましょう。

・弁護士ドットコム(https://www.bengo4.com/)

ちなみに、初めて売却される方は契約書の作成で話がまとまらないこともあります。

「譲渡金額は決まった。しかし、契約書を作っている途中で買い手とうまくいかなくなり、破断してしまった…」

こうなると、新しい買い手を探すところからやり直すことになります。

契約書作成は慎重かつ丁寧に進めていく必要があるということを覚えておいてください。

親切な仲介会社ですと、担当スタッフが中心となって作成を進めてくれますので、相談してみると良いでしょう。

ギクッ！
サイトM&Aの
契約書は初めて
なんだよなぁ〜…
実はベテラン
弁護士Aさん
Bさん
Cさん
Aさんならしっかりやってくれそうですよね！
そうですね
買い手
売り手
※見た目で判断せずしっかり相談しましょう

6-5　最後の大仕事。入金とウェブサイトの引き渡しをしよう。

仲介会社で売買が成立した場合、その会社が提供しているエスクローサービスというものを活用して、お金とウェブサイトの引き渡しを行いましょう。

エスクローサービスとは、買い手がウェブサイトを持ち逃げする、あるいは売り手がお金を持ち逃げするというリスクを防ぐサービスです。

売買成立後のエスクローサービスは、次のイラストのように進めていきます。

①買い手が仲介会社に譲渡金を預ける

②売り手から買い手へウェブサイトを引き渡す

③仲介会社から売り手へ仲介手数料を引いた金額を振り込む

エスクローサービスのイメージ

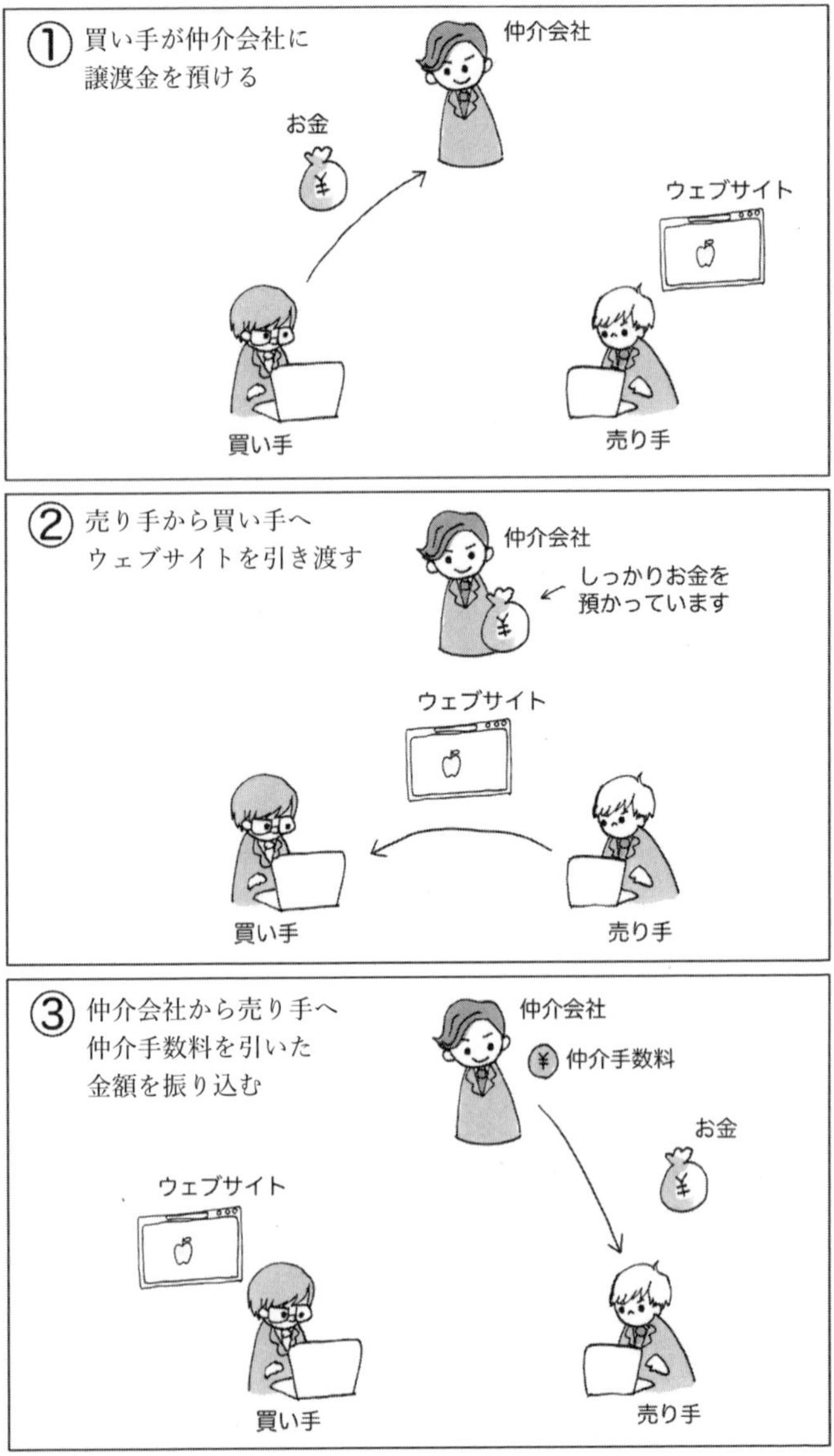

① 買い手が仲介会社に譲渡金を預ける
仲介会社
お金
ウェブサイト
買い手
売り手
② 売り手から買い手へウェブサイトを引き渡す
仲介会社
しっかりお金を預かっています
ウェブサイト
買い手
売り手
③ 仲介会社から売り手へ仲介手数料を引いた金額を振り込む
仲介会社
仲介手数料
お金
ウェブサイト
買い手
売り手

簡単に言ってしまえば、仲介会社が一時的に譲渡金額を預かってくれるのです。この仕組みを活用することで、売り手も買い手も安全にお金とウェブサイトを受け取ることができます。

ただし、仲介会社を挟まないで売買する際は、「先にお金を振り込んでもらうのか？」「先にウェブサイトを渡すのか？」をしっかり話し合って契約書に記載しておくことをオススメします。

もちろん、これだけで持ち逃げ等のトラブルがゼロになるとは限りませんが、もし万が一何かあった際、自分を守るという意味でもしっかり詳細を決めておきましょう。

また、ウェブサイトの引き渡し＆ドメイン利用権利の譲渡のことを、まとめて「ウェブサイトの引っ越し」と呼んでいます。

大きくわけて4つの方法があります。

①売り手あるいは買い手がウェブサイトの引っ越し作業をする

②専門業者に引っ越しを依頼する

③買い手が契約するサーバー会社に引っ越しを依頼する

④引っ越し作業せずにサーバー契約ごと全て買い手に渡してしまう

1つずつ説明してきます。

①売り手あるいは買い手がウェブサイトの引っ越し作業をする

イラストのように、あなたのサーバーから売却したウェブサイトだけを抜き出して、買い手のサーバーに移動させます。

これを売り手であるあなたがやる、あるいは買い手にやってもらうという方法です。

イメージとしては、第1章で農家の例でお伝えしたことです。

これが完了したらドメインの利用権利を買い手に渡します。

あなたか買い手にウェブサイトを引っ越しさせる知識があるならば、この方法でやってみてもいいでしょう。

あるいは知識がない場合でも、インターネットで調べてみれば親切にやり方を解説してくれている記事もあります。そちらを参考に進めていくこともできます。

メリットとしては自分たちでやるため、コストが

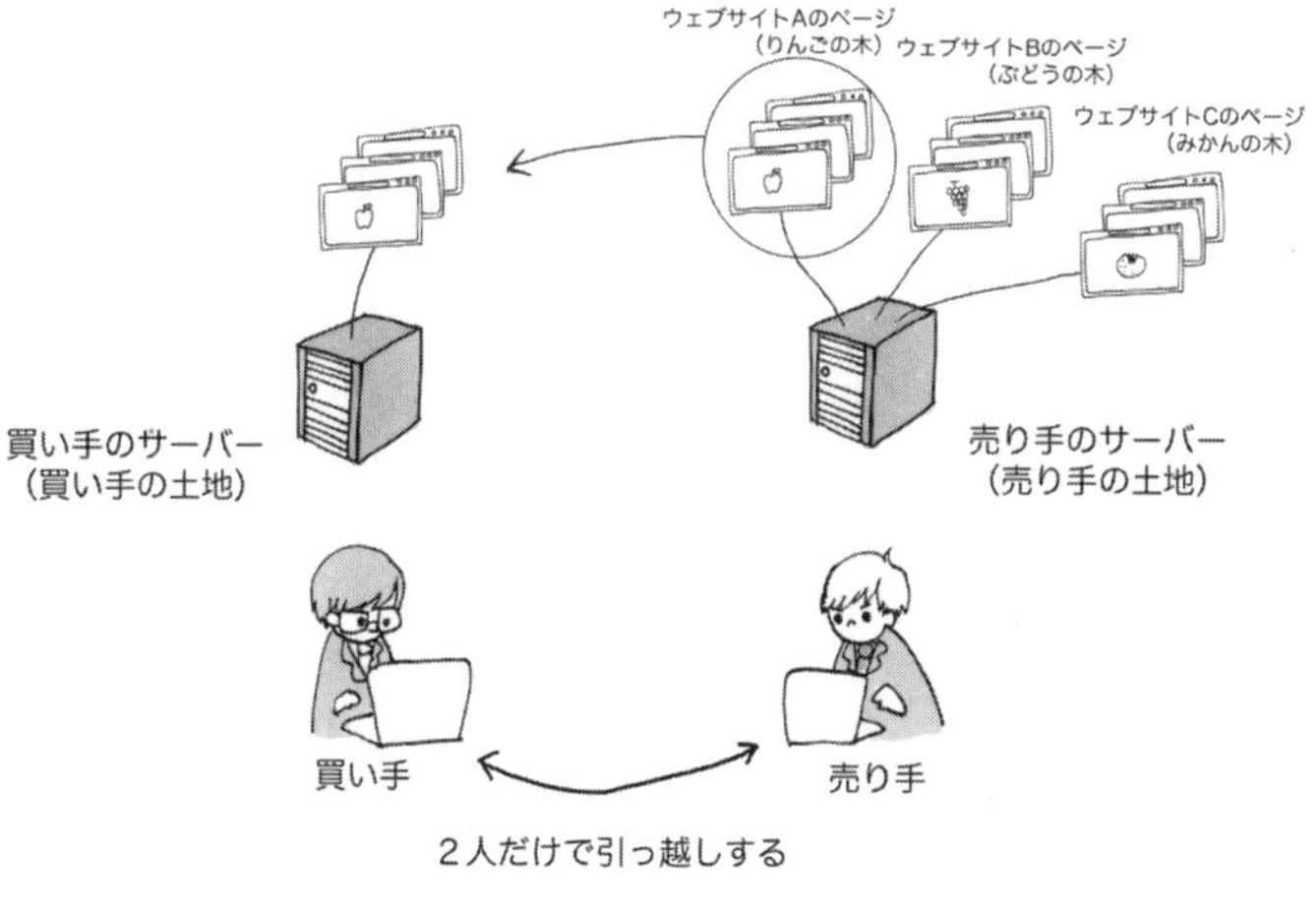
ウェブサイトAのページ
（りんごの木）
ウェブサイトBのページ
（ぶどうの木）
ウェブサイトCのページ
（みかんの木）
買い手のサーバー
（買い手の土地）
売り手のサーバー
（売り手の土地）
買い手
売り手
2人だけで引っ越しする

かからないことです。あまりお金を使いたくない方は、検討してみても良いかもしれません。また、買い手もウェブサイトの引っ越しに余計なコストをかけたくないと思っていることも多いので、向こうから提案してくるかもしれません。

じっくり話し合ってから、どうするのか決めていきましょう。

ただし、デメリットとしては、時間がかかる可能性があるということ。それと、引っ越し作業に失敗する可能性も十分あるという点です。

実際にあった話ですが、とある仲介会社で売買が成立した買い手が「自分で引っ越しをやるから大丈夫だ」と、主張して聞かなかったそうです。

しかし、いざやってもらうとウェブサイトが真っ白になり表示されなくなってしまったそうです。

慌てて専門業者に対応してもらい、事なきを得たそうですが、表示されなかった時間は機会損失となってしまったようです。

このケースは、すぐに復旧できたので大きなトラブルには至らなかったようですが、ウェブサイトそのものが完全消失してしまうケースもゼロではありません。

万が一のケースも想定しながらバックアップを取っておくなどして、慎重に進めていくと良いでしょう。

②専門業者に引っ越しを依頼する

ウェブサイトの引っ越しをサービスとして提供している会社や個人事業主の方に依頼する方法です。

インターネットやクラウドソーシングサービスで「ウェブサイト　引っ越し」「サーバー移転　代行」などと、調べてみると引っ越しを依頼できる相手が見つかるはずです。

特に、クラウドソーシングサービスでは、サーバーに詳しいサラリーマンの方が副業で引っ越しサービスを提供しているケースもあるほどです。

いずれにせよ、自分よりも詳しい方が引っ越しをやってくれますので、「安全に進めていきたい」「余計な時間をかけたくない」という場合は選択すべきでしょう。

メリットは、自分たちで対応するよりもラクに早く確実に引っ越しが完了することです。デメリットとしては、コストがかかることです。しかし、買い手と折半するなどして負担を抑えることもできます。

メリットとデメリットを天秤にかけて、買い手とどうするか決めていきましょう。

ちなみに、専門業者で有名なところは、「サイト引越し屋さん」です。

サーバーからサーバーの移動、ドメインの利用権利の引き渡しをセットで、29800円（税抜）から対応してくれます。

丁寧に対応してくれますので、まずは相談してみると良いでしょう。

・サイト引越し屋さん(https://site-hikkoshi.com/)

また、クラウドソーシングサービスで提供しているサラリーマンや個人事業主の方ですと、5000円~1万円ほどで対応してくれる方もいます。よりコストを抑えたい方は、こういった方に依頼しても良いでしょう。

いずれにせよ、買い手と相談して自分たちに合ったサービスにお願いするようにしましょう。

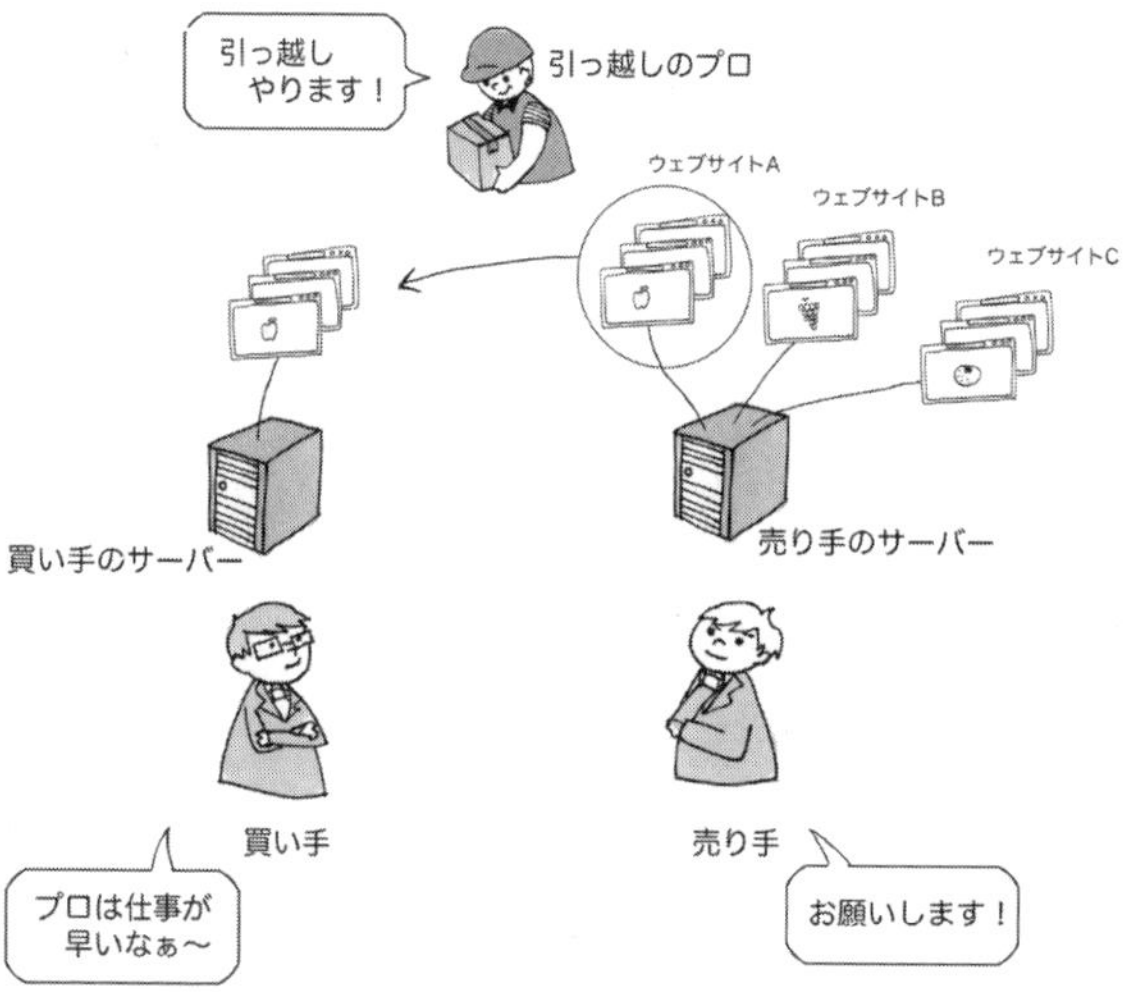

③買い手が契約するサーバー会社に依頼する

サーバー会社がウェブサイトの引っ越しを提供していることがありますので、そのサービスを利用する方法もあります。

例えば、ミックスホストというサーバーですと、1サイト9980円（税抜）から依頼することができます

・ミックスホストの引っ越し（https://mixhost.jp/options/wp-transfer）

また、エックスサーバーですと、契約プランによっては無料で依頼することができます。

メリットとしては、先ほどのプロにお願いするよりも安く済む可能性があるということです。それに、サーバー会社の担当者が代行してくれるのであれば、安心もできるでしょう。

デメリットとしては、買い手が引っ越しサービスを提供しているサーバーしか選べない

ということです。つまり、選べるサーバーが減ってしまうということです。

さらに、ドメイン権利の移管は、自分たちでやる必要が多いという点もあります。

こちらに関しても、買い手と相談して良いと判断したら選択してみましょう。

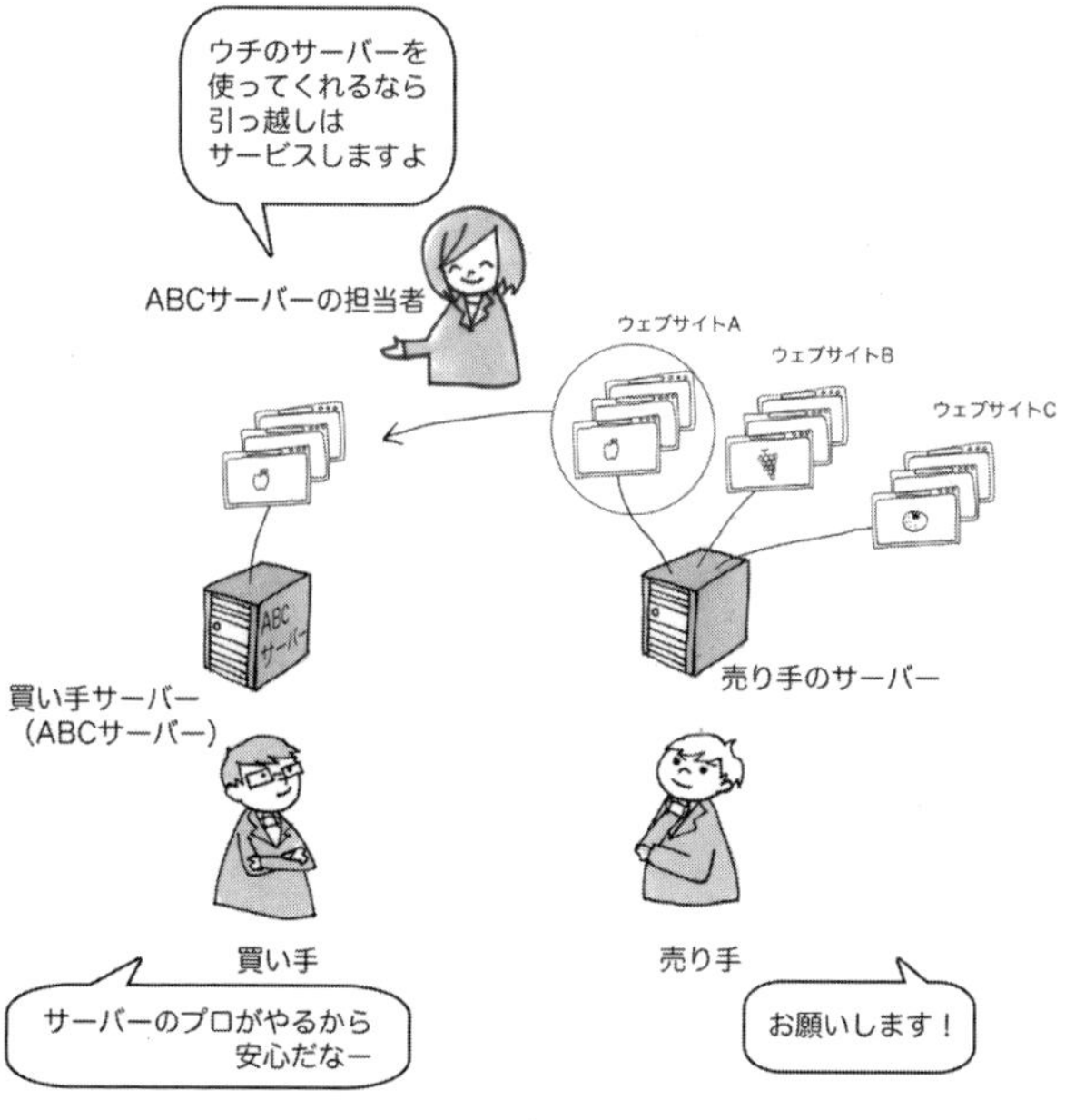
ウチのサーバーを
使ってくれるなら
引っ越しは
サービスしますよ
ABCサーバーの担当者
ウェブサイトA
ウェブサイトB
ウェブサイトC
ABC
サーバー
買い手サーバー
(ABCサーバー)
売り手のサーバー
買い手
売り手
サーバーのプロがやるから
安心だなー
お願いします！

④引っ越し作業せずにサーバー契約ごと全て買い手に渡してしまう

こちらの方法は、最もコストもかからず安全に譲渡ができます。

なぜなら、①~③のようにサーバーからウェブサイトを引き抜く作業がなく、あくまでサーバーの契約ごと買い手に渡してしまうからです。

無料かつウェブサイトが消えるというリスクもありません。ただし、デメリットが2つあります。

1つは、サーバーの中には譲渡するウェブサイトのみ格納されている状態が必須という点です。

サーバーごと手元からなくなる訳ですので、他のウェブサイトも格納されていれば、そのウェブサイトも買い手のものになってしまうからです。

もう1つのデメリットは、時間がかかるということです。

おおよそのサーバー契約の譲渡は、サーバー会社に書類を提出する必要があります。それは、「売り手と買い手の署名があるサーバー契約の譲渡契約書」です。

流れとしては、売り手が署名し、買い手に送付。買い手も署名しサーバー会社に送付。

このような流れを取りますので、どうしても1～2週間はかかってしまいます。

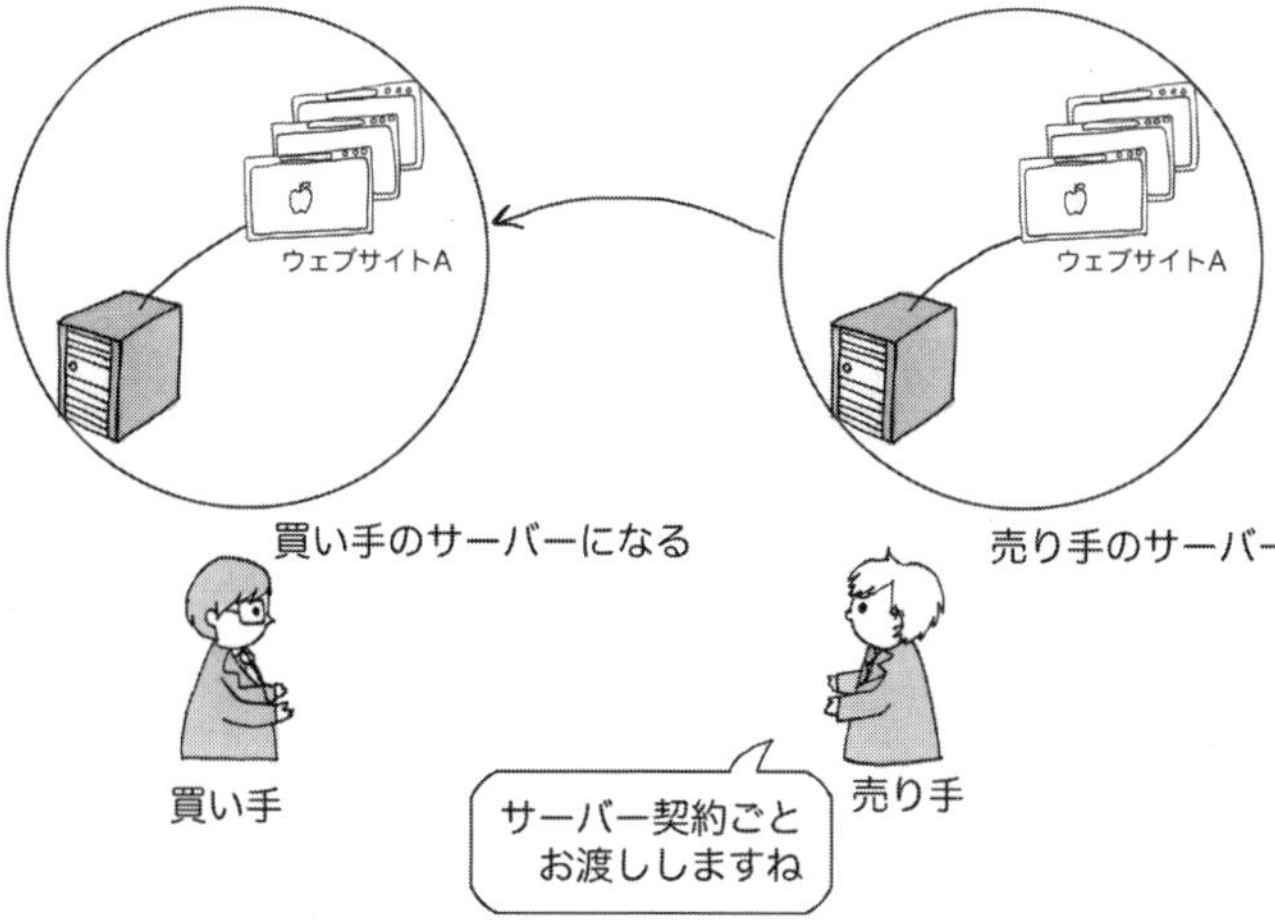
ウェブサイトA
買い手のサーバーになる
ウェブサイトA
売り手のサーバー
買い手
売り手
サーバー契約ごと
お渡ししますね

ちなみに、前述した①〜③の方法では、数日で完了するケースがほとんどです。

時間を取るのか？お金を取るのか？

しっかりと天秤にかけて、買い手と最良の方法を決定していきましょう。

さて、ここまでが売却の手順です。順番通りに進めていけば、遠回りせずにスムーズに売買できるはずです。

もしも迷ってしまったら、本書を読み返してみてください。

第７章

売却しやすいウェブサイトを理解しよう

7-1　毎月お金が残っていますか？

売却しやすいウェブサイトには、ほとんどの場合、月間営業利益が毎月あります。
これがあるとないとでは、売却に大きく影響します。極論を言うと、月間営業利益がなければ、売却は難しくなると思っておいた方がいいでしょう。

もちろん5-3で解説したとおり、売上もなく営業利益もないウェブサイトでも売却はできます。しかし、難しいうえに時間がかかります。

そもそも、なぜ営業利益が必要なのでしょうか？

それは、買い手が求めているものが「事業（ビジネス）」だからです。
つまり、お金を生む『モノ』を買いたいのです。
会社であれ、不動産であれ、駐車場であれ、赤字の事業はほとんどのケースで買い手から好まれません。

ウェブサイトも同様です。

より具体的に言うと、「毎月、ウェブサイトから売上があり、経費を使ってもお金が残っている事業（ビジネス）」が欲しい、ということです。

つまり、単純に売上があるだけではなく、経費を引いてもきちんとお金が残っているウェブサイトが売却しやすいのです。

買い手からすると、わざわざ赤字のウェブサイトを買うよりも、すでに売上も月間営業利益もあるウェブサイトを買った方が得だと考えるのは当然です。

あなたもそうではありませんか？

ご覧ください
しっかり営業利益があります
欲しい…
お～！！！！
ざわ
ざわ
ざわ

将来性を感じない赤字のウェブサイトを何百万も出して買ってみたいと思いますか？
同じ金額を出すのであれば、製作会社に依頼してオリジナルのウェブサイトを作った方がマシだとさえ思うのではないでしょうか。

月間営業利益があることは、買い手の視点から考えると当然なことだとも言えます。
あなたが売却したいウェブサイトには、毎月お金は残っていますか？

7-2　あなたに依存していませんか？

しかしながら、月間営業利益があるウェブサイトであっても、売れないウェブサイトがあります。

どのようなウェブサイトでしょうか？

それは、運営者が変わると、売上を上げることができないウェブサイトです。つまり、運営者に依存しているウェブサイトです。

わかりやすい例で言うと、有名人や芸能人のウェブサイトやブログは非常に売りにくい、ということです。

例えば、芸能人A氏の尖った記事や、おもしろい切り口で語られるブログやウェブサイトがあったとします。

ところが、ある日、運営者がA氏から全く知名度もないB氏になってしまったらどうでしょうか？

これまで好きで見に来ていた人はガックリするかもしれません。

なぜなら、ユーザーはA氏の記事を読むためにウェブサイトにきているからです。

そして、ウェブサイトやブログへのアクセス減に比例して、売上減は避けることができません。

このようなケースは、零細企業や個人が運営しているブログなどにもよく見られます。
つまり、社長自身や個人の存在が大きく、新しい運営者に変わることができないブログです。

「○○社長のブログはいつも斬新な内容でおもしろい」
「ブロガー○○さんのブログは本当に勉強になる」

こんなユーザーが多ければ多いほど売却は難しいのです。

では、どのようにしたら良いのでしょうか？

1つは、運営者を架空のキャラクターにしてしまうということです。
長寿アニメのサザエさんを思い出してください。長い歴史の中で、声優は何度も変わっています。

しかし、声優は変わっても、カツオやイクラちゃんというキャラクターは存在し続け、サザエさんというアニメは成立し続けています。

これと同じように売却したいウェブサイトやブログが個人に依存している場合、まずは架空のキャラクターをつくってしまうのです。

そして、その架空のキャラクターがウェブサイトやブログを運営しているという見せ方にして、運営者は誰が行なってもユーザーが満足する状態にしておくのです。

もちろん、売却した後、買い手が架空のキャラクターになりきって運営できる必要があります。

また、架空のキャラクターがウェブサイトやブログなどで提供するコンテンツや価値は、売却後も一貫している必要があることは言うまでもありません。

売却の後すぐは買い手も慣れていないため、おかしく思うユーザーは多少出てくるでしょうが、ここはアニメと同じです。

声優が変わった時に「前の声の方が良かったな」と思いつつも、時間が経てば慣れてしまうように、ユーザーも時間経過と共に慣れてくるのです。

このように運営者の見せ方を変えることで、売却しやすいウェブサイトにすることができます。

声優A
声優B
声かわった？
まぁいいか

売り手
買い手
なんか書き方
少し変わった？
まぁいいか

２つ目は、ブログやアフィリエイトサイトなどの場合、執筆者を増やすことで運営者の存在を消すという方法があります。

例えば、ＡＫＢ４８はメンバーが入れ替わってもＡＫＢ４８そのものは存在し続けています。

これと同じような発想をするわけです。

つまり、運営者に依存しているブログから、メンバーが入れ替わってもブログとしての価値を保ち続けるブログに進化させるということです。

具体的には、ライターを増やして彼らに記事の執筆をしてもらいます。

すると運営者の執筆量が減り、代わりにライター達が書いた記事がアクセスを稼ぐようになります。

しばらくすると、ライターの管理で時間が追われるため、運営者自身は執筆すらしなくなる可能性があります。

こうなると、AKB48のようにライターが入れ替わっても、ブログとしての価値は存在し続ける状態になります。すでに運営者が誰であるかどうかは売上に直結しない状態のはずです。

もちろん、買い手にブログを譲渡する場合、執筆してくれているライター達も譲渡する必要があることは言うまでもありません。

AKB48が違う運営者になっても、メンバーが全員いなくなるということは考えにくいでしょう。

よって譲渡する際、ブログとライターはセットで買い手に渡すべきなのです。

(ちなみに、ライターさんもその方が仕事を継続できるので、喜ぶケースがほとんどです。)

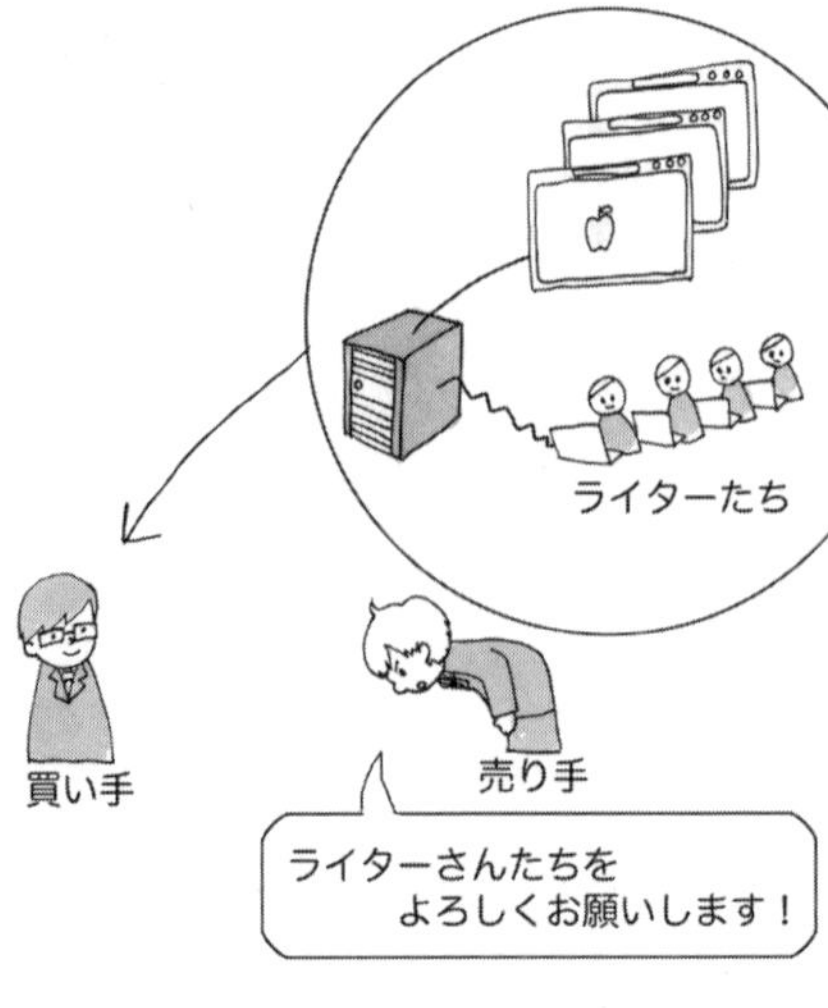
ライターたち
買い手
売り手
ライターさんたちを
よろしくお願いします!

ちなみに、これら2つの方法を用いて、私はウェブサイトを売却しています。

1つは運営スタート時から架空のキャラクターを設定していたウェブサイト。

数ヶ月の運営サポート期間中で、買い手にはそのキャラクターになりきるように執筆のアドバイスや添削を行いました。

つまり、「サザエさん」というアニメを譲渡するようなものです。

設定したキャラクターはそのままですが、新しい運営者になったので声優を入れ替えたというイメージです。

その結果、5－3でご紹介したようにこのウェブサイトは7カ月で買収金額を回収し売上も20倍を達成。

さらに、オリジナルサービスをサブスクリプション(月額課金)で展開し、安定したキャッシュフローを生み出すことに成功しています。

もう1つは、常に5～10名ほどのライターと契約し、運営者である私は管理業務にまわっていたウェブサイトです。はじめは私が執筆していました。途中、何人もライターが辞め、新しい人との契約を繰り返しました。が、ウェブサイトとしての価値は保たれていました。

もちろん売却した際は、契約中の全ライター達、運営マニュアル、ライターとのメール内容や方法、ライター教育や採用のノウハウなども全て譲渡しました。つまり、AKB48を譲渡するようなものです。AKB48というユニットの価値は保ちつつ、メンバーや運営方法なども全て譲渡するということです。

このウェブサイトは譲渡してから1年後も順調に更新されていました。その姿を見て本当に嬉しい気持ちになりました。

これら2つの事例から、運営者が変わっても問題がないウェブサイトは売却できるだけでなく、買い手が運営しやすいことがわかると思います。

買い手に向けた「商品（＝ビジネス）」をつくるようなものです。これを意識して運営していると、いつの間にか売れるウェブサイトになっているはずです。

ちなみに、ネットショップやポータルサイトであっても、運営者が変わってしまうと運営できなくなってしまうものは売却が難しいです。

ほとんどの場合、運営者が人を雇わず、あるいは外注もせず1人で忙しく運営しています。その上、運営方法やノウハウは運営者の頭の中にしかないことが大半です。完全に運営者に依存しているのです。

あるいは、人は雇っているものの、運営方法やノウハウはその人の頭の中にしかないという場合も同様です。

要するに、運営の「仕組み化」が出来ていない、ということです。

こういうウェブサイトは、譲渡前や譲渡を考えはじめたタイミングで、マニュアルを作るなど、仕組み化を目指すと売却しやすくなります。

できれば、売却の半年前には仕組み化をしておくべきです。

仕組み化前

仕組み化後

7-3　譲渡後はサポートしよう

売却してお金をもらったらサヨウナラではなく、運営サポートを明言した方が売却しやすくなります。

第3章の農園の父親と息子でも、そのような期間がありましたよね。最低でも3か月は提供することを推奨します。

買い手は必ずしも経験豊富とは限りません。中には、やる気のある初心者（個人や会社）から交渉があることもあります。

最近では、脱サラするためにウェブサイトを買収するサラリーマンの方も増えていますが、そのほとんどが初心者です。

その際、売り手のサポートがあるということは、買収意思決定の背中を押してくれる材料になるのです。

また、「譲渡後は3か月サポートします」と伝えただけで、問い合わせ数がアップすることもわかっています。
買収した後に自分1人でやるのではなく、売り手が支えてくれるということで心理的に安心するのです。

ちなみに、サポートの内容は様々です。メールでの質疑応答程度のものから、毎週面談して運営アドバイスを徹底するというものまで幅広くあります。

もちろん、運営に慣れている買い手であれば、サポートは不要という場合もあります。
しかし、そういった買い手であっても、「譲渡後は、しっかり運営のサポートをします」と明言するだけで、安心感が生まれ、交渉の数も上がることが分かっています。

この運営サポートは、会社であれ個人の方であれ同じように効果的です。
よほどのことがない限り、サポートは表明をしてあげた方が、売却の可能性が高まるのでオススメです。

何より、せっかくお金を払ってウェブサイトを買ってくれた買い手には成功してもらいたいはずです。

そのためには、しばらくアドバイスしてあげるべきでしょう。

また、あなたのウェブサイトが一切更新されず衰退していく姿を見るよりも、今まで以上に発展していく方が良いと思いませんか？　売却後にあなたのウェブサイトが発展しなければ、お客様のためにも社会のためにもなりません。

こういった買い手やお客様への思いやりが、結果的に良いマッチングを生み出すことを覚えておいてください。

余談ですが、第5章でもお伝えしたように会社のM&Aでは売却した社長は数年在籍して、買収してくれた会社に貢献することが通例です。

ウェブサイトの売買ではこういった考えがまだまだ浸透していません。今後、当たり前にあるべきだと考えています。
ぜひ、売却の際はサポートを前提に進めてみてください。

サポートしますね！
お願いします
買い手
売り手

第 8 章

失敗しないサイト売却を実現しよう

8-1　チャンスを逃すな！あなたの売却目的は？

必ずしも全ての人が売却に成功するとは限りません。
中には「がんばったけれど売れなかった」、という会社や個人の方もいます。
いいえ、正確に言うと、チャンスを逃したという表現がわかりやすいと思います。

これは、どういうことでしょうか？

具体的に説明する前に、まずは売り手の売却目的を4つに分類してみます。
これまでの経験から、売り手はこの4つのタイプに概ね属することがわかってきました。

せっかく売却できそうだったのに…

ウェブサイトを売却したいあなたも、この4つのいずれかに該当するはずです。

・資金調達タイプ

留学の資金が欲しい、会社の運転資金が不足したため売却したい、元々売却を目的としてウェブサイトを運営していた、せっかく作ったのだから絶対に高く売りたい、という場合はこのタイプです。

・環境要因タイプ

ライバルサイトが強い、スタッフがやめてしまった、Ｇｏｏｇｌｅのアップデートで売上が下がってしまった、など周りの環境が原因でウェブサイトを売却するタイプです。

・内部限界タイプ

運営しているウェブサイトへのモチベーションが下がってしまった、飽きてしまったので売却する場合はこのタイプです。

また、病気で入院してしまい運営ができない、あるいは怪我をしてしまい仕事ができなくなってしまったという方もここに属します。

・事業撤退タイプ

新しいビジネスなどをしたいと思っており、そちらに集中して取り組みたいため、今のウェブサイトを売却してしまおうと考えるタイプです。

あるいはすでに新しいビジネスをやっており、ウェブサイトの更新ができていないので早く売却してしまいたいと考えるタイプもこれに属します。

売り手の4タイプ

資金調達タイプ
環境要因タイプ
えー！仕事 まわらないよー
バイトやめまーす
内部限界タイプ
う〜ん もうやる気が… あきちゃったなぁ〜
事業撤退タイプ
こっちの新しいビジネス やりたいなー

さて、ここで重要なことをお伝えします。

売却を成功させるコツは、これらタイプの中から1つを選び、優先すべきことを優先することです。

優先順位が分からなくなってしまうと失敗します。

先ほどお伝えした「結局、売れなかった」という会社や個人は決まって優先順位がはっきりしていない、もしくは優先すべきことが2つ以上あるケースが大半でした。

なぜ、このようなケースはチャンスを逃すのでしょうか？

次の章で具体的に見ていきましょう。

8-2　売り手の4タイプと売却のコツとは？

譲渡時期と金額についてのマトリックス図を紹介します。

これを、「サイト売却優先のマトリックス」と呼んでいます。

（このマトリックスはオリジナルのもので著作権は弊社エベレディア株式会社に帰属しています）

まず、この図から分かるようにタイプによって売却で得られる成果が大きく変わってきます。

しかし、このマトリックスが言いたいことはそこではありません。

【サイト売却優先のマトリックス】

譲渡金＼譲渡時期	安	高
早	内部限界タイプ	事業撤退タイプ
遅	環境要因タイプ	資金調達タイプ

ウェブサイトを売却する場合、タイプによって「優先すべきこと」と「捨てること」を選ばなくてはならない、ということです。

例えば、「早く売れる」けど「安く売る」ということは、どうしてもあります。それは、売却したいウェブサイトの状態だったり、交渉で負けてしまったり、理由は様々です。

しかし、「早く売れるチャンス」があるのに、直前になって「どうしても高く売りたい」と、こだわってしまう人も一定数います。

「ひょっとしたら、もう少し待っていれば高く買ってくれる買い手が現れるかも？」と、考えてしまうのです。

さて、この状況であなたが「内部限界タイプ」であった場合、どうでしょうか？

すでにウェブサイトへのモチベーションがありません。あるいは入院してしまって、お客さんに迷惑をかけているかもしれません。

こういった場合、ウェブサイトの更新や仕事がほとんどできていません。ウェブサイトへのアクセス数は減り、売上も減り、リピートしてくれたお客様も去っている状態がほとんどです。

つまり、高く買ってくれるかもしれない買い手を待っている間に、どんどんウェブサイトの価値が下がっていくことになります。

こうなると、すぐに買ってくれようとした貴重な買い手はどうなるのでしょうか？売却意思の返事もなく、曖昧な売り手の態度に加えて、価値が下がり続けるウェブサイトには興味がなくなってしまうのです。

結局、この買い手には売れなくなることが大半です。

それだけならまだしも、いずれ売却すらできなくなることがあります。仮に売却できたとしても、結果的にさらに安くなってしまうことがほとんどです。

内部限界タイプのよくある失敗例

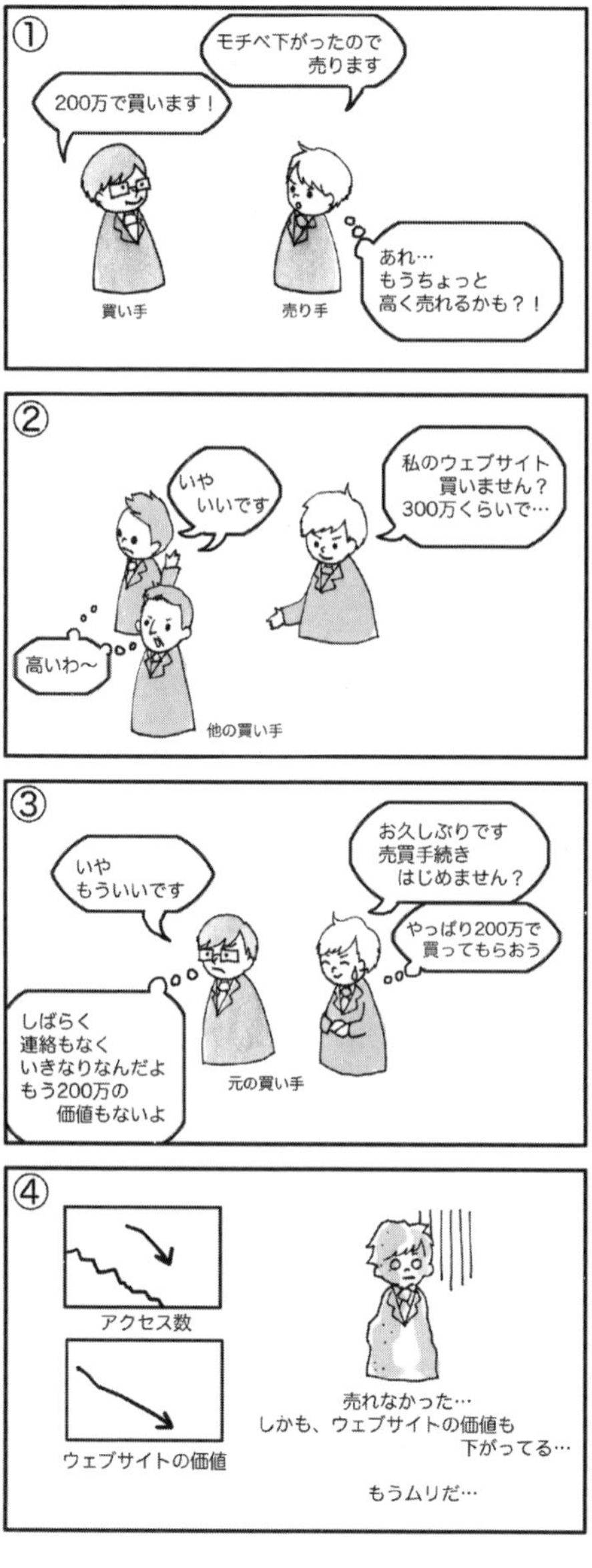

この『売れるチャンスを逃す』ということは、相当な機会損失になります。

例えば、200万円で売却できたかもしれないチャンスがあったのに売れなかったとすると、200万円損したことと変わりがありません。これは大きな痛手です。

また、当初より安い金額で売却せざるを得ないことも機会損失になります。

例えば、400万円で売却できたかもしれないチャンスがあったとします。しかし、もっと高く買ってくれる他の買い手を探した結果見つからず、200万円で泣く泣く売却。すると、200万円損したことと変わりがありません。

内部限界タイプは、ほとんどのケースで売却したいウェブサイトの価値をもはや上げることができません。

モチベーションや身体的な理由で、ウェブサイトの更新や仕事ができないからです。売上は下がり、アクセスも下がり、ウェブサイトの価値は下がる一方なのです。

よって、内部限界タイプは、「早く売却する」ということを最優先すべきなのです。

「もっと高く売りたい！」と欲が出ると機会損失につながります。

前述した、「結局売れなかったという会社や個人は決まって優先順位がはっきりしていない、もしくは優先すべきことが２つ以上ある」とは、このことです。

内部限界タイプなのに、金額にこだわり「早く＋高く売りたい」と考えてしまうと、機会損失になりやすいのです。売れなかった場合、最大の機会損失になってしまいます。

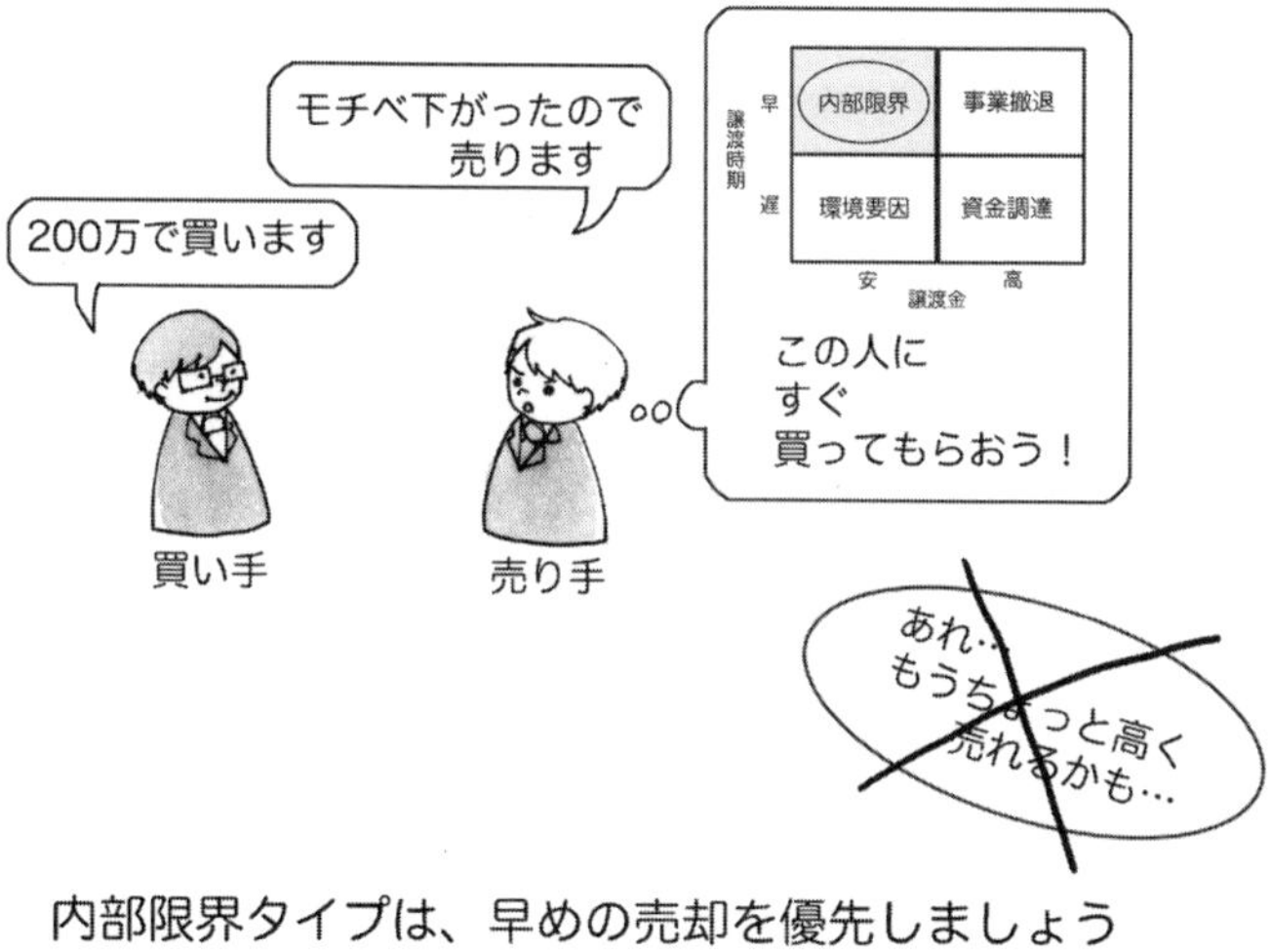

内部限界タイプは、早めの売却を優先しましょう

私たちは、そのような事例をたくさん聞いてきました。

例えば、Kさんという売り手は典型的な「内部限界タイプ」でした。

Kさんのウェブサイトは魅力的だったので、250万円ほどで買い手と話がまとまりそうでした。

この金額は5－2で紹介した一般公式によると、『直近6か月の月間営業利益平均×20』でした。十分に納得できる金額です。

しかし、Kさんは「少し待ってほしい。他の買い手とも交渉してみたい」と、売却の決断をしませんでした。

担当していた仲介会社のスタッフは、「この金額で売却できるのは良いチャンスかもしれません。この後、理想通りの金額で売却できないかもしれません。すぐに決断されなくて良いのですか？」と、アドバイス。が、Kさんは他の買い手とも話したいとのこと。

それからKさんのご希望通り、買い手を紹介し続けたそうですが、納得いく金額で話がまとまりません。

結局、250万円ほどで売却できそうだった買い手とも話が流れてしまい、月日が流れました。


1年半後、Kさんは40万円で売却されました。


何とか売却はできたので、売れなかったという最大の損失は避けることができました。

内部限界タイプは、すぐに決断せず見送ると売れないことも多々あるので、売却できたことは運が良かったとも言えます。

しかし、結局は210万円も損してしまったことと変わりがありません。

「あの時、売っておけば良かった」という後悔もあったでしょう。


さらに、売却までに1年半という時間をかけてしまったという点は見逃せません。

Kさんのようなウェブサイトは1か月以内には買い手がほぼ見つかることが多いのです。

1年半前に250万円でサクッと売却していれば、今頃どうなっていたでしょうか…。

繰返しになりますが、内部限界タイプは、「早く売却する」ということを最優先すべきなのです。

ぜひ、あなたもこのようにチャンスを逃すようなもったいないことは避けてほしいと思います。

しかしながら、どうしても売買の経験や現場感がないと、このようなタイプ分けを客観的に判断し、かつ適切な選択をすることは難しいです。自社や自分のこととなると、なおさらです。

そういった場合は、仲介のプロに相談してみると良いでしょう。

特に未経験であれば、会社であれ個人であれ、売却は失敗することが多いため未然に防ぐことも可能になってきます。

8-3　変な買い手は絶対に避けよう

4つのタイプの目的をはっきりさせ、優先順位を理解した上で、軸をブラさずに売却を進めていく。

これは、売却を成功させるセオリーではあるのですが、さらに買い手を慎重に選ぶことも重要です。中には、変な買い手もいて売却後に大変なことになるケースもあります。

例えば、こんな話がありました。なんと売買契約書をまったく読まずに、ウェブサイトを買収した買い手がいたそうです。

後日発覚しますが、なんと、買収後も売り手が引き続き更新をしてくれる、と勘違いしていたのです。もちろん、売り手はそのような契約はしていなかったそうです。

この買い手は、ネットショップを運営している経営者で、新しいビジネスを探していたところ、売り手のウェブサイトを気に入ったようで即決買収。
しかし、買収後に態度が急変。売り手に対して、あれをやれ、これをやれ、と命令をしてきたそうです。

ちなみに、契約書には売り手の運営サポート（助言やアドバイス）は3か月だけ行う、という記載しかしていませんでした。
それにも関わらず、完全に契約外の仕事をさせようと威圧的に指示してきたそうです。

「立派な経営者だと思ったのに残念です」と、この売り手は言っていました。

おーい！
あれやったのか？！
あれも
やっとけよ
買い手
す、すいません
うわー
売る人まちがえた…
売り手

さらに最悪なことに、数ヶ月経過してから「ウェブサイトを返却するからお金を返せ」と言ってきたそうです。

すでにウェブサイトは数ヶ月更新しておらず、価値が下がっているどころか、現状復帰すら難しい状態でした。

結局、売り手が感情的にならず論理的に交渉を進めたことで、しぶしぶ買い手は返却を諦めたようです。ですが、売り手は「眠れない日が続きました」と言っていました。

なぜこのようなことが起きてしまったのでしょうか？

実は、どのようなサイトM&Aにせよ、最終的には買い手を選ぶのは売り手自身です。どんな会社や個人に売却をするのかは、売り手の責任になってきます。

今回のケースは、売り手が買い手を選び間違えたということになります。1度間違えると、後には引けないので慎重に進めましょう。

ただ、このような変な買い手を避けるための対策があります。

それは、自分で客観的に買い手を判断しつつも、逐一プロの仲介に第三者としての意見を聞きながら進めることです。慣れていない場合は特にです。

独断で何も考えずに適当に買い手を決めてしまうと、このように面倒な買い手に売ってしまうこともあります。こうなると後の祭りです。

眠れない日が続くだけでなく、最悪の場合、更新されずに放置されたウェブサイトが戻ってくる。それだけでなく、買い手に対して時間やお金を提供し

2人とも買ってくれるみたいだけど
ここは冷静になって慎重に決めよう
売り手
買い手

なければならないかもしれません。

「売却できそうだ！」と浮かれる前に、冷静に買い手を判断するようにしましょう。

8－4　根気強く続けること

仲介プラン（第４章）では、最短で１週間以内に面談やウェブサイトの引っ越しなど、全ての売買手続きが終わることもあります。

なぜなら、仲介の担当者が事前に買い手へヒアリングしニーズを捉えていることも多く、交渉が圧倒的に有利になるためです。

しかし、中には、直接プラン（第４章）で売却をしてみたい、という会社や個人の方もいると思います。

そういった方々にお伝えしたい重要なことは、根気強く売却を進めて欲しいということです。

残念ながら、すぐに売却できるとは限りません。特に慣れていない場合は尚更です。

また、他の仕事と同時に売却を進める場合、買い手とのマッチングや交渉のスピードも遅くなります。

「直接プランで数ヶ月トライしてみたが売れなかった」、と仲介プランに変更する売り手もいますが、根気強く続けられなかったのだと推察しています。

もし直接プランで進める場合、せめて半年は地道に売却活動を進めてみてください。さすがに半年間売却活動を進めていれば、ある程度の結果が出てくるはずだからです。

しかし、半年も継続できないようであれば、はじめから仲介プランを選ぶというのも手です。**最も避けたいのは、「売れなかった」という結果です。**機会損失になるということは既に述べたとおりです。

これを避けるための最善の方法を選んでいきましょう。

直接プラン
2021
○月○日
2021
○月○日
よし！
まずは半年やってみる

仲介プラン
任せて
ください！
早く確実に
売りたいので
お願いします！
仲介のプロ
売り手

第９章

失敗しない仲介サイトの選び方３つのポイント

9-1　仲介サイト選びがキモ

さて、これまで4~8章で売却に関する具体的な内容について解説してきました。最後に「仲介サイト選び」について解説します。

この仲介サイトの選び方次第で、サイトM&Aの成功率は大きく変わってきます。

間違った仲介サイトを選ぶと「時間の浪費」「余計な費用」「ムダなストレス」「予期せぬトラブル」「売れなかった」など、取り返しのつかないことになりかねません。

その証拠に10章で登場する川崎さんは、1つ目の仲介サイトでは売却をやめています。対応が不親切で任せることができなかったようです。

残念なことに、はじめから最適な仲介サイトに依頼しておけば、時間をロスすることはなかったはずです。

このように、あなたのウェブサイトがどんなに良くても、仲介サイトを選び間違えると失敗する確率が高まってしまうので注意が必要です。

では、どうすれば良いのでしょうか？

それは、自社あるいは自分に合う仲介サイトを選ぶということです。

これができれば、「スムーズに売却できる」「早く売れる」「高く売れる」という嬉しい結果も手に入る可能性が高まります。

しかし、どのように選べば良いのでしょうか？

そこで、あなたにぴったり合う仲介サイトの選び方を3つのポイントに絞ってご紹介します。ぜひ、参考にしてみてください。

9－2　①何をどこまでやってくれるのか？

第4章で、直接プランと仲介プランについて説明してきました。ざっと、おさらいしましょう

・直接プラン

仲介手数料は安いですが、交渉やサイトの引っ越しなど、やることが多くトラブルも多いことが特徴です。売却できないこともあります。コスト重視のプランですので料金を気にされる方におすすめです。

・仲介プラン

仲介手数料は高いですが、交渉やウェブサイトの引っ越しなどプロが間に入って代行してくれるため、円滑かつトラブルがほとんどなく楽でスムーズです。確実に売却したい、初めての方や時間がなくお任せしたい方向けのプランです。

まず覚えておきたいこと。それは、仲介サイトによって提供しているサービス内容が異なることです。

例えば、Ａサイトの直接プランでは、契約書の作成をしてくれる。しかし、Ｂサイトの直接プランでは、契約書は売り手と買い手で作成する。

このように、提供してもらえるサービスは異なるケースがあります。

これは、仲介プランでも同じです。

例えば、Ｃサイトの仲介プランでは、契約書の作成をしてくれる。しかし、Ｄサイトの仲介プランでは、契約書は売り手と買い手で作成する、などです。

これらのサービス内容の違いから、自社あるいは自分にしっくりくる仲介サイトを選びましょう。

例えば、「Ｂサイトの直接プランでは、契約書の作成をしてくれないけど、仲介手数料は納得。色々と比較したけれど、ここが一番良いと思う」というような判断をすべきです。

また、「Cサイトの仲介プランは手数料こそ高いが、契約書やウェブサイトの引っ越しなども全てお任せできるので、ここにしよう」という決断も素晴らしいと思います。

じっくりと比較してみると、サービス内容の差がわかってきます。まずは、焦らず調べることからはじめましょう。

ちなみに仲介サイトによっては、直接プランのみ提供していたり、仲介プランのみ提供しているところもあります。あるいは両方やっている仲介サイト

プラン	Aサイト 直接＆仲介	Bサイト 直接のみ	Cサイト 仲介のみ
契約書作成	×	×	○
ウェブサイト引っ越し	×	○	○
手数料	低	低	高
専門性	×	○	○

もあります。

ただし「餅は餅屋」という言葉があるとおり、やはり専門特化している仲介サイトは、売りやすい傾向にあります。参考程度に覚えておくと良いでしょう。

9-3 ②自分でやりたい派は直接プラン、不安な方はお任せ仲介プランが楽。

先ほどは、仲介サイトのプランから選ぶ視点をお伝えしました。
次は、自分の性格から判断してみる方法があります。

ずばり、何でも自分でやらないと気が済まない方は、直接プランを提供している仲介サイトを選びましょう。

また、慣れておらず相談しながら慎重に進めていきたい方はお任せ仲介プランを提供している仲介サイトを選びましょう。

直接プランが向いている方は「自己完結できるタイプ」ですので、ぴったりのプランになります。これまで、ほとんど相談したこともなく、1人で決断してきた方向けです。

また、時間を多く使うことにはなりますが、自分で売却したという経験は相当な自信になります。

とても貴重な体験になるはずですので、「売却経験」を目的に直接プランを提供している仲介サイトを選ぶのも良しです。

それとは逆に1人だと不安な方は、相談もできお任せで売却してくれる仲介サイトを選ぶと良いでしょう。

大きなメリットは、直接プランよりも確実に売却できる可能性が高くなるという点です。

例えば、直接プランの場合、「売却の目的はどれにすべきか?」「どのような買い手を選ぶべきか?」「問い合わせが来ない場合どうすべきか?」など、ちょっとした相談すらできないことがほとんどです。

そして、迷っている間にチャンスを逃したり、変な買い手に売ってしまったり、安すぎる金額で売却するということも発生します。これは大きな損失になります。

しかし、仲介プランですと、何度も買い手とやりとりしているプロが担当するため、効率的かつあなたに心理的負担もありません。

さらに、高く売却できる可能性もアップします。プロが代わりに売却を担当するため、当然と言えば当然なことです。

デメリットとしては、仲介手数料が発生することです。

これは会社やプランによってさまざまなパターンがありますので、依頼する前に各社の仲介手数料プランを確認しておくことをお勧めします。

さて、あなたは「自分で何もかもやりたい派」「不安だから相談したい、任せたい派」どちらでしょうか？

これまでの人生を振り返って、この2択であればどちらかを判断するだけで、仲介サイトをふるいにかけることができるはずです。自分にぴったりだと思うのはどちらでしょうか？

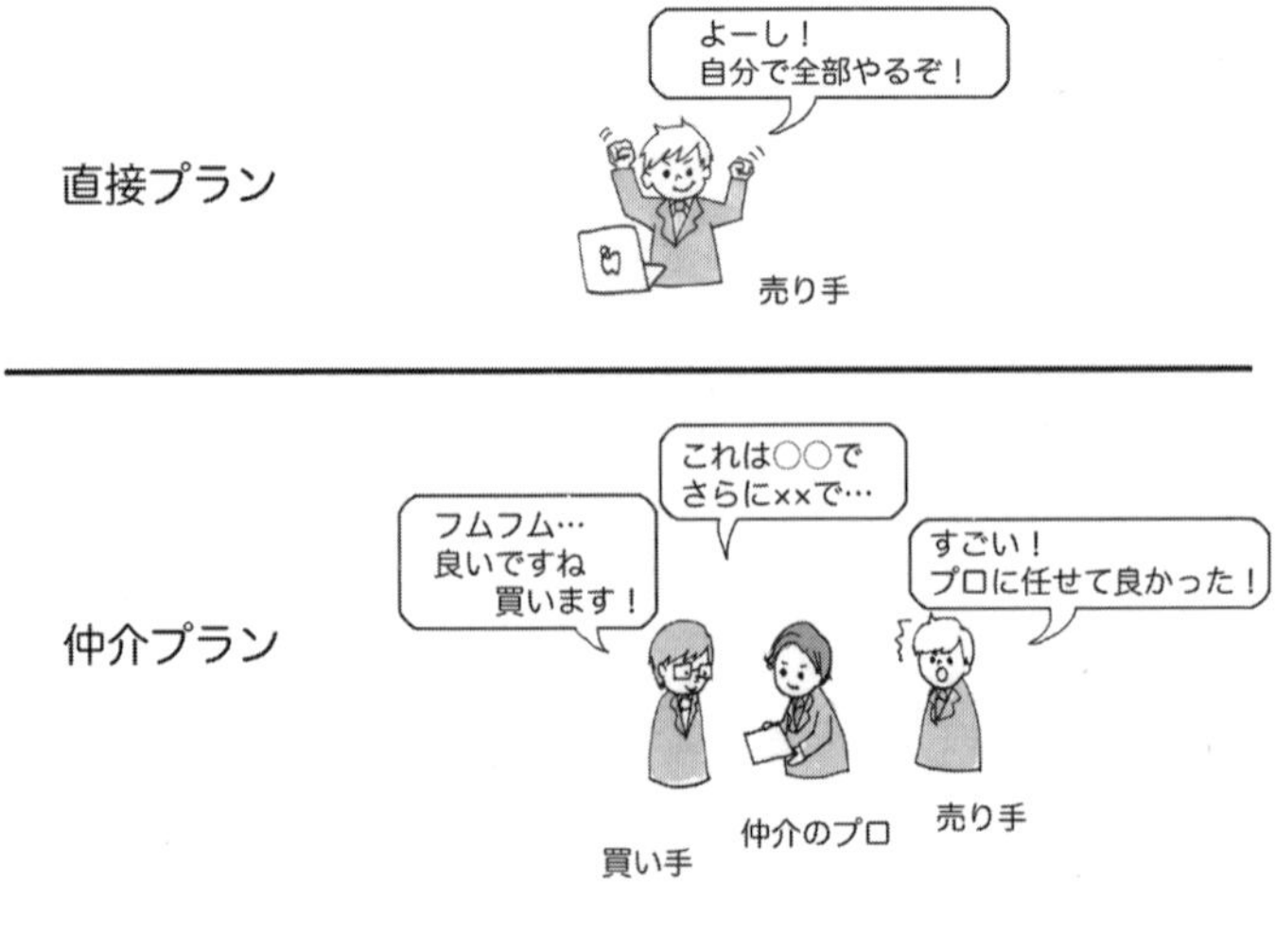
直接プラン
よーし！
自分で全部やるぞ！
売り手
仲介プラン
フムフム…
良いですね
買います！
これは○○で
さらに××で…
すごい！
プロに任せて良かった！
買い手
仲介のプロ
売り手

9-4　③その仲介サイトは評価されていますか？

仲介サイトの実績も見て判断しましょう。とても重要なポイントです。具体的には、他人からの評価です。

なぜ、他人からの評価を見るべきなのでしょうか？

それは、サービス内容と自分の性格だけでは、見落としている部分がたくさんあるからです。

仮に、自分にぴったりな仲介サイトだと思っていたのに、他人からの評価が最悪だと、利用したいという気持ちもなくなると思います。

他人からの評価は自分では見抜けない部分もしっかりと査定されているため、チェックしておいて損はないのです。

特に、客観的かつ社会的な評価となる「メディアからの取材」は、チェックした方が判断

の助けになるでしょう。

メディアの情報も100％鵜呑みにできない部分もありますが、ある程度の信頼を証明する手助けにはなります。

世の中にごまんとある商品・サービスに、いちいち取材の目を光らせるメディアは多くありません。

新聞やテレビでは、だいたいが大企業のニュースです。小さな会社や設立10年もないような若い会社はほとんど取材されません。

ある大手新聞社で10年以上も記者をやっていた方とお話をさせて頂きましたが、記者は本当に忙しいとのことです。

例えば、企業から送られてくるプレスリリース（取材を目的とした紙やメールなどの情報）は、毎日何百通も届く。

その中から、記事になりそうなものを発掘していきます。これをやらないと、また明日には何百通も届くからです。

さらに、プレスリリースのほとんどが取材にならないので、自ら取材先を調べて取材依頼の電話や面会を続けます。

同時に、いつも記事の締め切りに追われています。

「学生時代はスポーツばかりしていましたが、その経験がなければ続けられないほどハードでした」と、おっしゃっていました。

そのような中、取材されているということは、何か他と違う仲介サイトだという1つの基準になるはずです。

あなたが検討している仲介サイトは、「新聞」「ラジオ」「雑誌」「テレビ」などから取材されているでしょうか？

取材歴は、仲介サイトで公開されているはずです。しっかり見てみましょう。

また、「お客様の声」もチェックしておくと参考になるはずです。巷のレビューサイトなどでは自作自演されているケースもありますが、客観的な判断をする材料にはなります。

例えば、私自身もネットショップで商品を買う時にはレビューを参考にします。悪評が多すぎる、あるいは評価の星が少なすぎると購入をためらうこともあります。

良い評価をしているレビューも見ます。詳細に丁寧に書かれているものは、読んでいるだけで本当だ

・メディアの取材 多
・良いお客様の声 多
仲介サイトA
・メディアの取材 無
・良いお客様の声 少
仲介サイトB
こっちの仲介サイトが良いかも…

メディアの取材と良いお客様の声はチェックしておきましょう

ということが伝わってくるものです。

もちろん、やらせレビューなどは存在しますが、「これだけ書けたら本物だろう」と感じるお客様の声であれば、信頼できるサービスだと推察できるでしょう。

そういった本物のレビューが豊富にあれば、さらに確信を持てると思います。

ぜひ、あなたが検討している仲介サイトのお客様の声もしっかりチェックしておきましょう。

9-5　その他の5つのポイント

さて、「サービス内容」「自分の性格」「他人(メディアやお客様の声)からの評価」だけでも、十分に仲介サイトを選ぶことができます。

しかし、念には念を入れて、他にも判断基準になり得るものを5つピックアップして紹介します。

1、売買実績が十分にあるか？

売買実績は仲介サイトの実力が反映されているため参考になります。**成約数と成約率の2つをチェックしておきましょう**。片方だけでは判断しにくいので注意が必要です。

例えば、100件仲介している仲介サイトAと、10件仲介している仲介サイトBですと、どちらにお願いしたくなるでしょうか？

仲介サイトAの方が、経験豊富なのでしっかりサポートしてくれるかもしれません。しかし、仲介サイトBは何億円というサイトM&Aのみをやっている。あるいは1つ1

つ丁寧に仲介しているため、売買数が多くない可能性もあります。

このように、売買数だけでは判断が難しいため、同時に成約率も確認しておくと良いのです。

例えば、仲介サイトAの売却率が5%、仲介サイトBの売却率が90%だったら、どうでしょうか。今度は仲介サイトBの方が魅力的に見えてきませんか？

このように、成約数と成約率を見て客観的に仲介サイトを判断していきましょう。

もちろん、両方とも好成績であれば納得できるはずです。

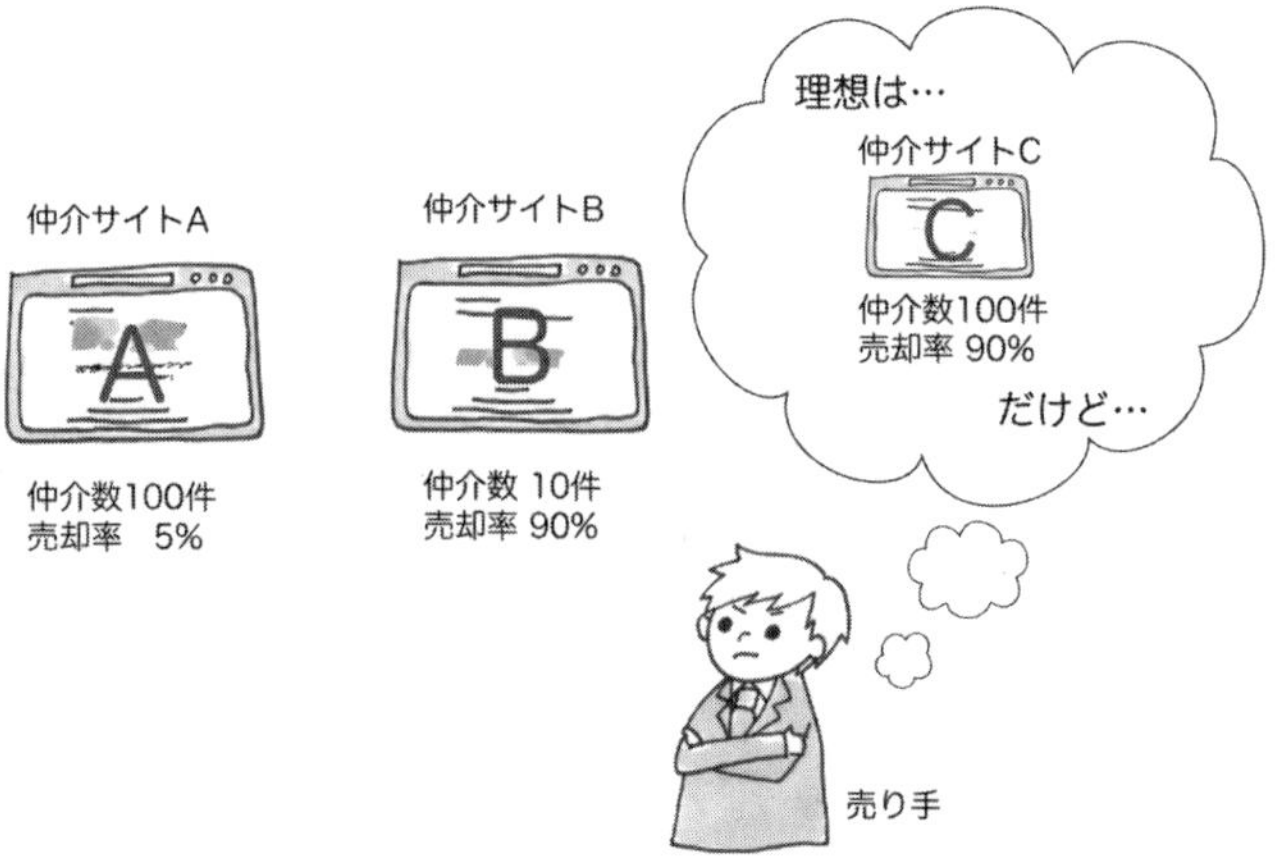
理想は…
仲介サイトC
C
仲介数100件
売却率 90%
だけど…
仲介サイトA
A
仲介数100件
売却率　5%
仲介サイトB
B
仲介数 10件
売却率 90%
売り手
仲介数と売却率の２つをよくチェックしましょう

2、電話した時の雰囲気は良かったか？

電話したときの雰囲気も見逃せない判断材料になります。
なぜなら、いくらホームページの印象が良くても、実際のサービスが異なるケースもあるからです。

あなたにも、こんな経験はありませんか？

チラシやホームページを見て、とても良さそうなお店だったのでデートに行ってみた。
しかし、接客や料理がいまいち。店もうるさくて会話が聞こえず、デートが盛り下がってしまった…。

事前にこういったお店であると知っていれば、きっと行かなかったはずです。集客だけうまくてサービスが悪い、というケースはあります。

そこで、電話をかけてみると、事前にサービスの質をおおよそ判断できるためオススメなのです。

丁寧さ親切さはもちろん、担当者の知識や経験値なども把握できるでしょう。

面倒臭さいと思うかもしれません。しかし、これで失敗を減らせるのであれば、やっておいた方が良いのです。

まずは、フリーダイヤルなどコストがかからない仲介サイトから電話していくのも手です。

１つ電話してみると、２つ目以降の心理的な負担は減ってくるものです。

お電話頂きまして
ありがとうございます！
お客様のウェブサイトは～…
キリッ
仲介
はい。
なるほど、そうなんですね
お一印象も良く頼れそう！
売り手

電話でサービスの質がわかります

3、運営歴は3年以上あるか？

運営歴が3年以上あると、良い選定基準になります。

桃栗三年柿八年ということわざがあります。

やはり、何事も芽が出るまで相応の時間がかかるものです。最低でも3年はかかるものではないでしょうか。

例えば、とある有名会社の社長から、ようやく価値あるサービスを提供できるようになったのも3年を過ぎたあたりだと聞いたことがあります。

社内スタッフの教育、取引数が100件を超え経験が蓄積、イレギュラー対応など、スタート時は手探りだったものが一定の水準を超えはじめたそうです。

また、この頃からメディアの取材も増えています。とある記者から「3年も継続できるのはすごい」という言葉をもらったと言っていました。

このように3年やっていれば、それなりの失敗や成功を経験して質の高い会社に成長しているはずです。きっと、自信を持って価値あるサービス提供しているでしょう。

もちろん、3年経過しているからと言ってすぐに良い仲介サイトだと判断してはいけません。5年、10年と経営していても良くない会社は存在するものです。

あくまで、判断材料の1つとして3年以上を目安に選定していくと良いでしょう。

運営歴３年以上
仲介サイト
しっかりした
仲介サイトかも
仲介
売り手

運営歴も判断材料の１つに

4、何人で運営しているか？

仲介サイトによっては1人で運営しているところもあります。そういったところは運営者の独断で進められるため、スピーディーかつ丁寧にやってもらえるでしょう。売却率も高いかもしれません。

しかし、1人でやっているデメリットもあります。

それは、運営者が稼働できなくなれば、売却できなくなってしまうという点です。

例えば、運営者が病気になって寝込んでしまう。人間ですから、いつ何があるかわかりません。

あるいは、あなた以外のサイトM&A案件で立て込んでしまい対応が遅れてしまうこともあるかもしれません。

こうなると、売却のチャンスを逃してしまいます。結局、売れないまま終わってしまう可能性もあります。

こういったデメリットも視野に入れて客観的に判断していきましょう。

反対に、複数人で運営していると、こういったデメリットは防ぐことができます。

あなたの担当者が寝込んでしまったら、他の人がすぐに引き継いでくれるでしょう。

また、社内で仕事が分担されていれば、他の人がヘルプに入れる仕組みになっているはずです。

こういった仲介サイトであれば、良い意味で担当者に売却の成果が依存していません。

仲介サイトの担当チームメンバーが力を合わせて、あなたの売却をサポートしてくれるでしょう。

ただし、仲介サイトで抱えている人材が多いほど、人件費の関係で仲介手数料が高い可能性もあります。今度はこれがデメリットになるかもしれません。

安心を買う保険のように、高い手数料でも割り切ることができれば、複数人で運営している仲介サイトを選択してみて良いでしょう。

1人で運営しているか?複数人で運営しているか?**どちらも一長一短あります**。冷静に選択していきましょう。

仲介サイトA
仲介
1人で運営
仲介サイトB
仲介
複数人で運営
どちらにしようかな
売り手

どちらも一長一短あるので冷静に

5、商標を取得しているか?出版をしているか?

特に、商標を取得しているかどうかは仲介サイトの選択基準になり得ます。なぜなら、きちんとした会社やコンサルタントはリスク管理もぬかりないからです。

例えば、中小企業向けのマーケットコンサルタントとして有名な神田昌典さん。なんと、商標を43個も取得しています(特許情報プラットフォームにて調査)。

さすがに、ここまで商標を取得するケースは稀ですが、せめて3~5個は取得していると安心できます。

それに数だけでなく、「○○コンサルタント」「○○アドバイザー」という商標を取得していれば、本質的な運営をしているとみて良いでしょう。

また、出版をしているかどうかも本質的な運営を見抜くポイントになります。

書籍1冊の文字量は10万字が一般的と言われています。

これだけ膨大な量を書くためには、しっかりと仲介サイトを運営していなければ難しいでしょう。数ヶ月という運営期間ではなく、数年は必要でしょう。

仮に文書が書けたとしても、優秀な編集者や出版社との出会いがなければ、よく分からない本になってしまいます。

「しっかりした本を出版している」

このように感じる仲介サイトがあれば、選択肢の1つとして検討しても良いでしょう。

商標と出版もチェックしてみましょう

以上、5つの判断基準もご紹介しました。

あなたに心と時間の余裕がれば、これらの項目からも仲介サイトを客観的に判断してみましょう。

さらに、精度の高い仲介サイト選びができるはずです。

繰り返しになりますが、仲介サイト選びで売却の成功が左右されると言ってもいいくらいです。とても重要な作業です。

最も良くない選択は、「仲介手数料が安いからお願いしよう」と、しっかり検討も比較もせずに決めてしまうことです。

仲介手数料が安いということは、仲介サイトに利益が出ていない可能性が高いのです。

そうなると、社員教育や買い手を集める活動にお金をかけておらず、売れない可能性が高まるのです。

必然的にあなたが負担する作業量も多くなり、大変な上に売却できないかもしれません。安易に手数料の安い高いで判断すると、失敗します。

ここまでお読みいただけたあなたであれば、考えもせず仲介サイトを選ぶことはないと思いますが油断は禁物です。

しっかりと、何社も問い合わせて吟味するようにしてください。

仲介サイトA
仲介サイトB
仲介サイトC
うーん
どこにしようかな

しっかり比較しましょう

第10章

独占インタビュー！
売り手4タイプ別の
売却成功事例

ここからは、実際に私たちサイトマで売却に成功された4名の方にインタビューした内容を掲載しています。

「こんな理由で売却するんだ」「リアルな話だなぁ」と、驚く事例もあるはずです。

何より、ウェブサイトを売却した人が本当にいる、という事実を知ってもらえたらと思い取材にご協力いただきました。

ネット上や他の書籍ではほとんど語られていない内容ですので、このインタビューを読むだけでも本書の価値があると思います。

10－1やりたいことを求めて！有名アフィリサイトを売却（資金調達タイプ）

ＹＹＬＡＢＯ合同会社 代表 佐々木慎吾さんのケース

譲渡金額８４５万円

20代は全国で農業体験をして30歳からアフィリエイトをスタートさせた佐々木さん。

離婚をして無職となっていた当時、人生を変えようと挑戦したそうです。

やり方がわからなかったので、アフィリエイトを教えてくれるスクールに入学。

お金はなかったので、クレジットカードで借金、親に借金、というダブル救済措置でなんとか生き延びます。

インタビューさせていただいた佐々木さん

「やるしかなかった」

当時を思い出しながら語る佐々木さんは、どこか誇らしげでもありました。

さて、早速アフィリエイトをスタートした佐々木さん。

朝から晩までひたすらアフィリエイトサイトの運営。毎日作業。しかも、たった1つのウェブサイトのみ。かなりエネルギーを注いだそうです。

1年後、70万円の月額報酬を達成したときは、「うれしかったけど、実感がわかなかった」と振り返ります。

そして、運営2年目は、ウェブサイト全体を修正。このタイミングで、売上は月100万円ほどで安定。とても順調です。

もうアフィリエイトは限界。でも…

しかし、転機が訪れます。モチベーションの低下です。運営ができなくなってしまいます。

なぜ、こうなってしまったのでしょうか？

思い返せば、アフィリエイト運営のスタート時は、離婚、無職、借金、というまさにどん底からのスタートでした。

それに比べ、月収１００万円近くの余裕ある安定した生活。これが、やりがいや目的を見失わせてしまったのです。

佐々木さんは、いわゆる燃え尽き症候群に近かったのでしょう。

しかし、人間とは不思議なものです。それでも、アクセス数やアフィリエイト報酬額は気になってしょうがなかったと言います。

「毎日、心臓によくなかったですよ」

笑いながら言っていましたが、とてもわかります。

ウェブサイトのデータチェックは習慣になっており、ついつい見てしまうもの。そして、アクセスや売上がちょっと下がっているだけでガッカリしてしまう。

でも翌日は上がっていて一安心。けれども、その翌日は下がっていて…を繰り返していると精神的に疲弊してしまう時があります。

佐々木さんは、安定したことによるモチベーション低下や燃え尽きに加えて、見えない不安や恐怖と戦う毎日だったのです。


新しい目標を発見！そのためには資金が必要だ

そんな時、様々な経営者と会ったことで、改めて世界が広いことに気付かされます。文字通り、視野が広がったのです。

「人生で色んなことをやってみたい」

やりたいことは、「留学」「世界旅行」「ビジネスの勉強」など。**少しでも多く資金があった方が良いと気がつきます。**

佐々木さんは、このタイミングでウェブサイトの売却を検討します。

（※佐々木さんの場合、キッカケはモチベーションの低下ですが、売却目的はお金。つまり、資金調達タイプになります）

マリッジブルーとの戦い

そうは言いつつも、「ずっと運営してきたウェブサイトがなくなる不安と、継続的な収入がなくなる不安もありました」と、語ってくれました。

いわゆるマリッジブルーというやつです。会社の売却やビジネスの譲渡ではよくある話です。サイトM&Aでも、このマリッジブルーに陥る方がいます。

しかし、さすがは佐々木さんです。紙に不安や数字を書き出し、感情ではなく合理的な判断を試みました。

「これくらいの金額で売れれば、あれとこれができて、○万円も余裕がある。生活費を考慮しても大丈夫だ」

このように、しっかり自問自答した結果、理想の売却金額を自ら算出しました。

これはとても賢い方法です。頭の中でうんうんと考えていても、答えは出てこないどころか、どんどんネガティブになっていくことがあります。

紙に自分の考えや数字を書き出し、俯瞰的に思考してみる。すると、合理的かつ客観的な判断がしやすくなります。

このように、じっくり考えた答えには自信を持つことができます。ブレずに売却を進めていけるのです。

ちなみに、佐々木さんからは、「人間なんて悩む生き物なので、うまく付き合うことですよね」と、深い言葉もいただきました。

どん底から這い上がったキッカケとなった愛着あるウェブサイトを手放す。こんな感情的になるシーンでも、冷静に判断していく。

もし、売却に迷っている方がいれば、ぜひとも参考にして欲しいと思います。

買い手と初対面。譲渡決定した理由は？

さて、その後、佐々木さんとウェブサイトを買いたいという方（Bさん）と私たちサイトマ担当者の3者で打ち合わせしたときのことです。

「売却は未経験だったので売れるかわかりませんでした。しかし、実際に買いたい人とお会いして、本当に買いたい人なんているのだと実感しました」

これが佐々木さんの正直な感想です。

はじめにでも書きましたが、私が感じたことと似ています。自分のウェブサイトを欲しい人がいるのだと実感できるまで、やはり疑心は晴れないものです。

目の前にいる買いたい人を見て確信を持った佐々木さん。この面談で譲渡を決定。無事に売却が成立しました。

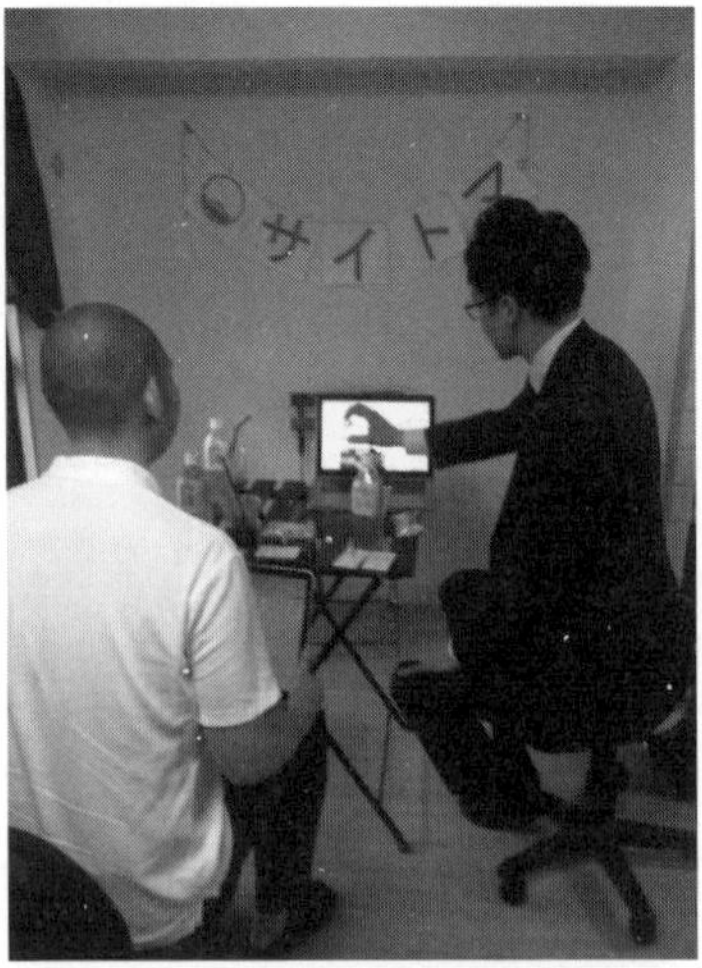

実際の打ち合わせの様子　※コロナの前に実施
左：佐々木さん　右：買いたい方(Bさん)

決め手となったポイントは３つあります。

１つ目は、おおよそ希望の金額で売却ができたこと。**資金調達を目的にしているため、ここは妥協できません。**

２つ目は、Ｂさんがビシッとスーツを来て丁寧な対応をしてくれたこと。信頼できそうな人だと安心できます。

当時、私も面談に同席しました。Ｂさんは、見た目だけでなく紳士的ですばらしい方でした。

３つ目は、ウェブサイト運営を担当する本人が直接会いに来てくれたこと。

買い手のなかには買収後、社員に任せる、外注で回す、という会社もあります。佐々木さんにとって思い入れがあるウェブサイトだったからこそ、そうでなくてよかったと言います。

売却したお金でやりたかったことを実現

その後、ドメインや各アカウントなど譲渡していくなかで、徐々に売却の実感が湧きはじめます。最後に自分の銀行口座に売却金額の入金があったときに、ようやく実感できたそうです。

「本当に売ったんだ。これでやりたいことできる」

佐々木さんは、新しい人生を前向きにスタートさせました。

また、習慣になっていた毎日のアクセスや売上確認などもなくなり、心が軽くなり新しい毎日になったとも語ってくれました。

その後、佐々木さんは、フィリピンはセブ島で留学、アメリカのベンチャーＩＴ企業を仲間と見学、全く新しいウェブサイトの立ち上げ、世界旅行、などなどやりたかったことを１つずつ取り組んでいるようです。

全ては売却で得たお金があったからこそ。

「これまで、農業やアフィリエイトだけで視野が狭くなっていました。ウェブサイトの売却は、とてもいい機会でした」と、目をキラキラさせていました。

そんな佐々木さんの楽しそうにお話されている姿を見て、売却が成功して本当によかったとしみじみ思いました。

佐々木さんから売却を迷っている方へのメッセージ

ウェブサイトを売る目的がなければ売る必要はありません。しかし、新しくやりたいことがあるなど目的があればとてもオススメです。

多くの方が変化を恐れると思いますが、思い切って進んでみることです。

売却後に海外旅行を楽しむ佐々木さん

10－2　会社の方針で愛着ある4サイトを次々に売却（環境要因タイプ）

株式会社eX．media　取締役副社長 川崎一弘さんのケース

譲渡金額の合計1697万円

学習塾運営の会社に副社長として参画されている川崎さん。当時、「子供の数が減っている」ということで、会社として新規事業を模索されていました。

「新しい事業はアフィリエイトをやる」と、社長から号令。後に売却する4つのウェブサイトは、ここから運営スタートしています。

インタビュー中の川崎さん（※コロナの前に取材）

「２００％信頼している社長のアイデアだったので」

と、真っ直ぐ目を見て話す姿を見て、そのような人に出会えたことが羨ましくなるほどでした。

軌道に乗せるまでが本当に大変

アフィリエイトは、ウェブサイトなどで広告収入が得られるビジネス。仕入れや在庫、店舗などが不要なため、新規事業として参入される会社が多いことも特徴です。

しかし、その反面、成果につながらないという声も多く聞きます。川崎さんも「最初の1年が辛かった…」と、振り返ります。

なんと、はじめの10か月ほどはアフィリエイト報酬１万円/月ほどしか発生しなかったのです。

アフィリエイト塾に通ったり、教材や本なども買っていました。が、10か月もの間は月1万円の報酬が続く…。

サラリーマンの副業ではなく、会社の新規事業です。副社長としてのプレッシャーも相当だったと思います。

しかし、川崎さんは、当時のことをこのように語ってくれました。

「みんな簡単にやめていく。だから、続けたら勝てると思った。1日最長で17～18時間、平均して15時間はアフィリエイトをやっていた」

「初めてウェブサイトに問い合わせがきて、お客様に感謝され鳥肌が立つくらい楽しかった」

「ウェブサイトはインターネットを通じて困っている人に情報だけでなく、思いや理念も伝えられる。そんなアフィリエイトは楽しかった」

これを聞いたとき、複雑な気持ちになりました。

社長のアイデアをなんとかカタチにしようと奮闘した川崎さんと社員さん。みなさんの姿を想像すると、売却が決定した時どんな気持ちになったのだろう…と。

いよいよ、その時が訪れた

「社長の頭の中では、売却は考えていたと思う。自分は現場監督としてウェブサイトを作っていた。昔バンドをやっていたせいか、自分がつくった曲のようにウェブサイトに愛着が湧いてしまった…。自分は売却したくないと考えていました」


会社として売却を決めた理由。

それは、Ｇｏｏｇｌｅの検索変動があり、ウェブサイトへのアクセスが減ってしまったためでした。

もちろん、改善すれば数値は改善し、売上も元に戻る可能性は十分にありました。

…人件費。これを考えると、思いきって売却して別の事業にシフトした方が良いという経営判断になったのです。

重い腰を上げて売却スタートしてみたが…

早速、売却を進めるためにとある仲介会社(仲介プラン)を利用することにしました。しかし、はじめ利用していたその仲介会社は、どうも不信感が強かったようです。

というのも、心配なことがあり相談してみると、その仲介会社に面倒くさそうな対応をされてしまったとのこと。

「我が子のように育てたウェブサイトをこの会社に売却依頼してもいいのか？」と、思うようになります。

そこで、知り合いに私たち「サイトマ」を紹介してもらい、実際に相談のお電話をいただきました。

「電話をしたとき、全然対応が違う。先回りして回答もしてくれるし、ここだ！と思いました」

このように、とても嬉しい言葉をいただきましたが、実際に売却を進めていくなかでも、不安は完全には払拭できませんでした。

「データの提示はこれで良いのか？　いくらで売れるのか？　買い手にどう評価されるのか？　初めての買い手との面談はどうしたらいいのか？　などなど…。とにかく不安だらけでした」と、川崎さんは振り返ります。

しかし、サイトマの場合、担当スタッフがしっかりサポートしますので、最後まで安心して進めることができたようです。

「売却中も、売り手にも買い手にも偏ることなく対応してくれた。これは本当にありがたかった。例えば、買い手から連絡が突然こなかった場合、とても不安になりました。しかし、担当者が相手の状態を推察して、的確なアドバイスをしてくれたので、安心して連絡を待つことができました」

実際、買い手と順調に話が進んでいても、突然パタリと連絡が途絶えてしまうことはあります。この時、ほとんどの売り手が落胆し、不審感を抱いて売却を諦めてしまうこともあるのです。

こういう場合、やはり仲介者がいると安心できます。

たまたま連絡が遅くなっただけという状況であってもプロであれば予測して先まわりして動くこともできます。

音信不通（買収意思がない）と判断すれば、仲介はすぐに次の買い手を探すことに注力してくれるのです。

初心者が売却を進めると、他にも思わぬハプニングが満載だったりします。慎重過ぎて

もダメ、大胆過ぎてもダメ。ちょうど良い温度感で進めていくべきなのです。

愛着あるウェブサイトを手放す瞬間

さて、川崎さんですが、ようやく買い手も見つかり一安心。

と、思いきや最後の大仕事が残っていました。


それは、一生懸命ウェブサイトをつくってきた社員達への告知です。


「実は、このウェブサイトは売却することになりました」

こう伝えたときの社員の残念そうな顔…。それを見るのが辛かったそうです。

「正直、なかなか伝えることができなかった。言い出しにくかった」

と、当時を思い出したのか、少し辛そうな顔をされていました。それはそうですよね。

自分だけならまだしも、社員という協力者がいたからこそ運営できたウェブサイト。会社の方針とは言え、いきなり事実を突きつけられる社員たちを思うと、売却をするという告知は相当なプレッシャーだったと思います。

さらに、雨の日も風の日も本を読んで記事を書いてアクセス解析して、PDCAを回していたことが走馬灯のように頭がよぎったそうです。

川崎さん自身も、あれだけ努力してきたのですから買い手が見つかった喜びの反面、相当な苦しさがあったはずです。

「眉一つ動かさずに、ポンと売りたかったですね」と、冗談を言って笑っていましたが、その姿がとても印象的でした。

じっくり誠実に育ててきたウェブサイトに愛着が湧いて、我が子を送り出すような気持ちで売却をした川崎さん。

とても真摯に仕事に取り組み、関わる人を大事にされる方なのだと感じました。

実際、川崎さん達は合計で４つのウェブサイトを売却されましたが、どれも丁寧に作り込まれており、素晴らしいウェブサイトでした。

このような素晴らしいウェブサイトを見るだけでも、川崎さんはじめ社員皆さんの誠実さ真摯さがひしひしと伝わってきます。当然ながら、買い手もすぐに見つかりました。

買い手選びが本当に大切

後日、「へ～こんなすごい会社が買ってくれたんですね！」と、社員やアルバイトの方々が喜んでいたそうです。

「複数のウェブサイトを売却してみてわかったことがあります。それは、金額じゃなくて良い人に買って欲しい、ということです」

売却先はどれも良い会社を選ばれたわけですが、はじめからお金ではなく良い人(会社)

を基準にじっくりと選定していたからです。

色々な売却ストーリーを見てきましたが、やはり売り手次第でマッチングできる買い手は変わってきます。

「良い人(会社)に譲渡したい!」と思っていると、不思議とそのような買い手と出会うことができるものです。

素晴らしい会社に売却でき運営に関わっていた社員やアルバイトの方々が喜んでいたということを聞けて、私たちもとても嬉しい気持ちになりました。

ちなみに、川崎さんにインタビューさせていただいた当日も、すでに5サイト目の売却を進めている最中でした。

しかし、「買い手向けのデータ入力がどうしても遅くなってしまうのです…」とのこと。

なぜなら、「このデータを入力したら、いよいよこのウェブサイトとはお別れなんだな、というメンタルブロックが出てしまうのです」

と、笑いながらお話されていました。

しかし、それだけウェブサイトに愛情を注いできた川崎さんだからこその葛藤ですよね。

川崎さんが愛情を注いだウェブサイトであれば、次に購入される人もきっと喜んでくれると思います。

川崎さんから売却を迷っている方へのメッセージ

実際に売却に取り掛かってみると、思いのほか進むことが多いです。もし迷っていたら、まずは相談されてみると良いと思います。

はじめてみないとわからないことも多いですし、プロに状況を説明して、色んな情報をもらった方がいいと思います。気軽にお電話してみると良いのではないでしょうか。

10-3　怪我が原因でネットショップを売却（内部限界タイプ）

個人事業主　伊藤（仮名）さんのケース　　**譲渡金額600万円**

50代半ばで、いきなりのリストラ。資格も運転免許くらい。

あなただったらどうしますか？

そんな窮地に見舞われた伊藤（仮名）さんは、ハローワークに通う日々を続けていました。

しかし、なかなか採用まで至らずにアルバイト生活がスタート。そんななか、前から興味があったインターネットの事業について調べ始めます。

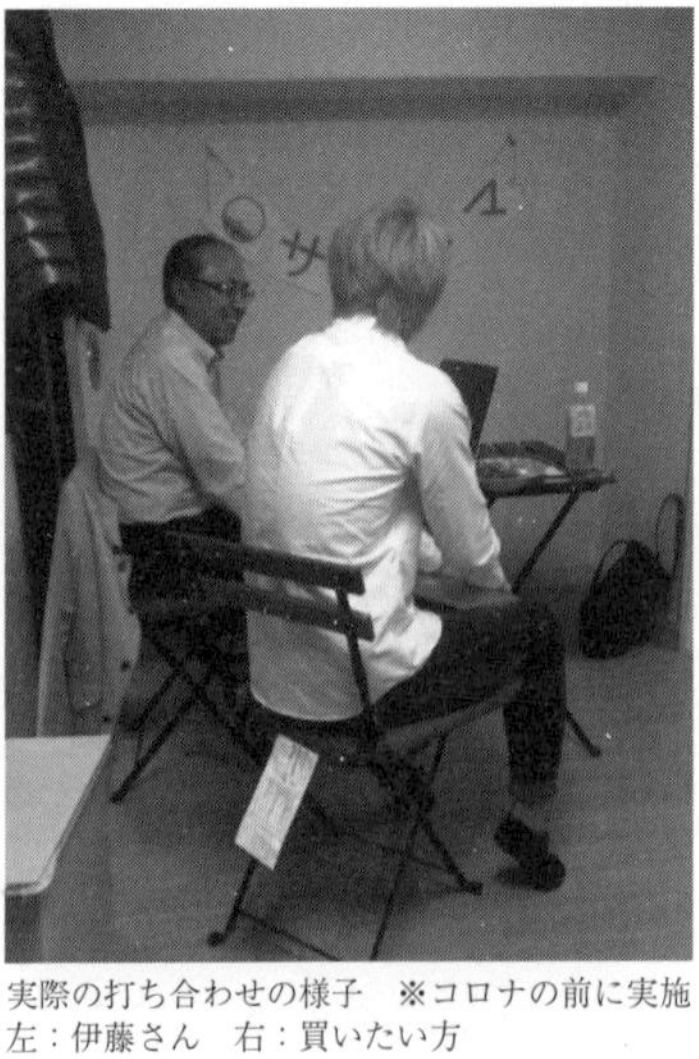

実際の打ち合わせの様子　※コロナの前に実施
左：伊藤さん　右：買いたい方

すると、ネットショップという選択肢にたどり着きました。

「これだったらいけるのではないか」

と思い、ネットショップの運営を教えるスクールに入学。

それにしても、リストラ中なのに入学金はどのようにして用意したのでしょうか？

「正直、不安はありましたが、クレジットカードが使えるということで分割してもらいました。受講期間は6か月でしたので、その間に稼げればいいと」

このように、経験も知識もお金もない50代半ばの男性が新しいスタートを切りました。

初めてのネットショップ運営はどうだったのか？

当初はとても大変でした。年齢的なものもあり、一気に覚えることができない、簡単な操作も遅い…かなりきつい。

「カメの歩みのようでした」と、笑いながら話してくれました。

そんな伊藤さんのネットショップ運営の兆しが見えたのは、いつ頃だったのか。

なんと、スクールの6か月間では、ウェブサイトは立ち上がらなかったのです。分割払いまでしたのに、6か月間に収益化するという計画は水の泡となりました。

しかし、さすがは伊藤さん。スクールで知り合った人に情報もいただきながら、コツコツ続けていました。

その頑張りがようやく実ったのは約2年後。その間は、なんとアルバイトを掛け持ちしながら食いつなぎます。

さらに、その後2年もサイト運営を専業でやり通します。なかなか計画通りいかない時もあったようでしたが、なんとか収益も安定してきました。

突然やってくるリタイヤの合図

このように紆余曲折ありながらも、一見順調のように感じる伊藤さん。どうしてウェブサイトを売ってしまったのでしょうか？

実は、簡単な発送作業をしていた時のこと。肩に違和感を感じはじめ、ちょっとしたことでも辛いと感じるようになってしまったのです。

「マグカップすら持てないくらいでした。痛みで夜も眠れない日も。このままネットショップを続けるのはむずかしいと思いました」

コロナの前に、私たちの事務所にもお越しいただきましたが、カバンを置くだけで顔が歪んでおりました。相当痛かったのだと思います。

運営を続けたい意思はありつつも、体がついていかない状況になってしまった…。

こうして自分のウェブサイトを売るという選択肢を思いつきます。

「前情報などはまったくありませんでしたが、とにかくできるのではないか？と思いサイトマさんに問い合わせました」

やっぱり売るのをやめたい、という内なる声

こうして売却が進んでいくわけですが、売却直前で伊藤さんはマリッジブルーになってしまいました。

「正直、かなり寂しかったです。よくここまでやったな～という気持ちもありました。娘を嫁に出すような気分でした」

約4年間もやっていたのですから、仕方ないですよね。それにしても、伊藤さんはどのようにこのマリッジブルーを乗り越えたのでしょうか？

それは、売却をした後、あたらしい事業をやると決め、そちらのリサーチを進めていたのです。

意識を未来に向けたということですね。

こうして、ウェブサイトを譲渡し、マニュアルなども作成し終わった後、「あぁ、これで自分の物じゃないんだな」と実感されたようです。

売却後の新しい人生

インタビューさせていただいた時は売却から3か月が経過。すでにあたらしい事業をスタートされている様子でした。

そして、肩の痛みもかなり良くなったようです。

「あのまま続けていたら、肩は上がらなかったかもしれません」

と、冗談半分な言葉もいただきましたが、売却できて本当に良かったと思いました。

譲渡した方は30歳ほどの若い方でしたので、伊藤さんは安心していました。

「飲み込みも早い方で、運営サポートの問い合わせもすぐに少なくなりました」

今後、売却したウェブサイトがより成長していくことが楽しみですね。

「これまで断っていたゴルフの誘いにもそろそろ答えようと思っています」

肩も治ってきたので、人生を楽しむ余裕ができたようですね。思いきってウェブサイトを売るという選択をとった賜物です。

後日、奥様と旅行先で食べたかき氷の写真も送っていただき、ほっこりした気分になりました。

実は、この売却で一番嬉しかった人。

伊藤さんからいただいたかき氷の写真

それは、一緒に過ごす時間が増えた奥様ではないかと密かに思っています。

伊藤さんから売却を迷っている方へのメッセージ

私の場合は、本当に売れるのか？という状況で、問い合わせました。ほとんどやっていただいたので、不安などはありませんでした。

かなりスムーズだったので、「あぁ、こんな感じで売却って進むんだ」という感じでした。

少しでも興味あれば、まず相談してみたらいいと思います。何も知らない私が飛び込んでも親切にしていただいたので、本当に感謝しています。

10－4　ミニ連続起業家!?　11サイトを次々と売却し、予約待ちも続出中（事業撤退タイプ）

会社経営　田中さん（仮名）のケース　　譲渡金額の合計1670万円

アフィリエイトを専業でされている田中（仮名）さん。アフィリエイト歴は現時点で約10年というベテランです。

「もう数がわからないくらいウェブサイトを売却しています」

サラッと語っていましたが、私たちサイトマで11サイトも売却しています。

誰でもできる訳ではありません。すごいことです。

これだけの数を売却されているのは、業界でも田中さんくらいでしょう。

なぜ、これほど突き抜けた結果を残すことができたのでしょうか？

「他の人と違うことをやらないといけない」

常に強く意識していたからこそ、ウェブサイトの売却に挑戦したと語ってくれました。

「でも初めての売却は、正直怖かったです。数百万以上の取引は初めてだったので」

田中さんは淡々と売却されているイメージが強かったので、意外でした。

怖いと思いながらも、それでも１つ目のウェブサイトを売却されることを決定した最大の理由。

それは、「ウェブサイトを売るという体験からきっと何かが得られるだろう」と、感じたことでした。

未知な体験を乗り越える。それは、今後の人生に必ず活きてくると確信されていたのでしょう。

紆余曲折あった初めての売却

私が講師として呼ばれたセミナーで、ウェブサイトが売買できることを知った田中さん。

「サイトM&Aだって?これは、おもしろそうだ」

事前にセミナー内容を知った時に、こう思って参加されたそうです。

セミナーの後、「やってみよう」と思い、すぐに売却依頼をしてくれました。

しかし、初めての売却はスムーズにできたわけではありませんでした。

田中さんのウェブサイトは非常に魅力的だったので、一気に5~6名の方が買収前提で交渉をしてくださいました。ここまでは良かったのです。

1人目の方と面談後、すぐに田中さんから相談がありました。

「先ほど面談させていただいた方でなく、別の方を紹介してもらえませんか？」よくよく話を聞いてみると、面談の時から交渉態度に威圧感があり、どうしても自分とは合わない、契約をしたくないとのこと。

これは本当に正しい判断だと思います。

ウェブサイトを売却する際に、多くの方がミスしやすい点が、「買い手との相性」なのです。大きな金額で話がまとまりそうになると、ついつい盲点になってしまうポイントです。相性が良くないと買い手がクレーマー化。上から目線で指図されてしまい、売却後もさらに大変になるケースもあります。

また、タチの悪い買い手になると、数ヶ月後に「やっぱりウェブサイトを返却しますので、お金も全額返してください」と、言ってくるケースもあります。

ウェブサイトの売買は、メールやチャットでやりとりをすることが多く、気楽に何でも言いやすいことも原因かもしれません。

残念ながら、売り手のことを全く考えない買い手は一定数います。注意が必要なのです。

このようなこともあり、売却するタイミングでは、よくよく考えて買い手を選ぶ必要があります。

「あの人には売らない方がいいなと思いまして」

さすが田中さんです。

すぐに買い手には状況を伝えて売却を見送りました。

次の日には別の買い手を紹介し、すぐに面談をセッティング。

「次の買い手は、企業ということもあり、しっかりしていたので安心しました」田中さんは納得されて売却を決定されました。

この決断は正しかったのだと思います。

なぜなら、これを皮切りに田中さんの連続売却がスタートする事になるのですから…。

たくさん売却する人の考え方

ちなみに、初めて売却できたときの感想を聞いてみました。その回答が、さすがだなと思いました。

「嬉しい気持ちは５％。残り95％は、しっかり買い手の運営サポートをしなければ」

ウェブサイトを売却するのであれば買い手にはしっかり運営して成功して欲しい。

田中さんは、こういった気持ちが強く、売却後は運営サポートを必ずされています。

それも聞いてびっくりするほどのサポートです。

まるで家庭教師のように丁寧に教えるだけでなく、買い手によっては宿題も出してしっかり指導するそうです。教材も用意するそうです。**もはやコンサルティングの域です。**

「売却する度にサポートが手厚くなっています」

売却したからには責任を持つ、という田中さんの考え方が素晴らしいです。

これだけの方ですので、当然ながら田中さんのウェブサイトは大変人気です。

「そのサポートが手厚い方(田中さん)の売却依頼があったらすぐに教えてください」

と、予約に近いかたちで待っている買い手が常に数名いるほどです。

そんな状態ですから、メルマガで告知すると、すぐに購入前提の面談申し込みが入ります。これは、業界でも珍しいことです。

売却したことで得られたメリット

そんな田中さんに、ウェブサイトを売却してからどのように人生が変わったのか聞いてみました。

「仕事のスキルが上がった点と、月の収入がなくなるので危機感が増した点です」

例えば、サポートのために資料をつくったり、マニュアルをつくったりする中で、だんだんと説明力が上がりスキル向上につながったようです。

そして、ウェブサイトを売却してしまうと、これまであったアフィリエイト報酬がなくなります。これが、良い意味で危機感があり新しいウェブサイトをつくるためのモチベーションになったとのこと。

これが仕事をする上で、田中さんにとっては好循環になっています。

実は田中さんの場合、ある程度ウェブサイトが稼げてくると、運営に力が入らなくなる性格なのです。

それに対して、新しいウェブサイトを作って「どうやったらうまくいくだろう？」と、試行錯誤している時間はいつも楽しい。

「こんな性格なので、今後もウェブサイトの売却は続けていくと思います」

これぞまさに事業撤退タイプといったところです。


たくさん売る人の運営方法と買い手の選び方

11サイトも売却された田中さんのウェブサイトの運営スタイルを伺ってみると、常に5サイト前後を同時に運営。そして、育ってきたウェブサイトを次々と売却してしまうそうです。

すごいことですよね。普通の人はここまでできません。

また、買い手選びにも目が肥えている田中さんには、買い手を選ぶ基準についても伺ってみました。

1、やる気がある
2、メールのレスポンスが早い
3、最低限のパソコンスキルがある

この3つを最低限満たす方を買い手として選んでいるようです。

これはあくまで、何度も売却されている田中さんの基準ではありますが、これから売却をしてみたいという方にも大変参考になると思います。

ちなみに、初めての売却でお見送りにされた買い手の方は、1～3は満たしていたようですが、神経質すぎる点もこわかったようです。

田中さんはサラリーマン時代にクレーム対応をしていたこともあり、クレーマー体質の方は敏感に察知できるのです。

サイトM&Aでもクレームを過度に言ってきたり、売り手への注文の度が過ぎる買い手はいます。

そういった方に売却してしまうと、後々大変になってしまうこともありますので、本当に注意が必要なのです。

なぜプランはいつも同じなのか？

11回全ての売却をお任せできる仲介プランを選んでいる理由も伺ってみました。

1、良さそうな買い手を紹介してくれるから
2、ウェブサイトの引っ越しなども代行してくれるから

「ウェブサイトの引っ越しに関しては、素人がやってしまうと面倒になることが多い。任せてしまうのが一番ですね」

逆に、お任せできる仲介プランを利用しない方がいい、と思う方も聞いてみました。

「安い手数料を希望していて、売り込みや宣伝が得意な方」

これから売却をしてみたい方に参考になると思います。

余談ですが、田中さんからこんな意見もいただけました。

「アフィリエイトを専業でやっている方は、人とのコミュニケーションを取らない方も多く、家に引きこもって作業をしている。そのため、そもそも売買交渉ができない方が多いのではないではないか？」

なるほど、アフィリエイトを専業でやられている方は、そういう特徴もあるのですね。

「私も専業でアフィリエイトをやっていて、今日も子供としか会話していないという日が増えています。きちんと会話できているか不安になります」

「専業アフィリエイターかつ、初心者でウェブサイトを売却するのは至難の技になると思います」

と、冗談交じりでおっしゃっていました。

今回のインタビューを通じて、仲介プランはこういった方々にも重宝されている、というありがたい視点もいただけました。

すぐ売れるウェブサイトの重要ポイント

最後に、田中さんにウェブサイトを売却するタイミングについて伺ってみました。

「ウェブサイトを売却するベストなタイミング。それは、売上がピークになる前です。このタイミングで売却依頼をすると、譲渡するタイミングで売上がピークの状態で渡すことができるためです」

素晴らしいですよね。

実は、ほとんどの売り手が、売上が下がってきたタイミングで売却を検討します。

しかし、買い手からすると、売上が右肩下がりの状態で購入するのは怖いと感じます。結果、交渉数が少なくなってしまいます。

「やはり、ｗｉｎ－ｗｉｎを考えるなら、ウェブサイトの売上は右肩上がりで譲渡すべきですよね」

売り手の鏡のようなコメント。さすが、11サイトも売却されている方の視点は違います。

田中さんはあまり実感がないようでしたが、田中さんは売却するサイトを「1つの商品」として作り上げているように感じます。**売上のピークで譲渡できるように段取りを整えて、しっかりと納品する。これは、まさに一流商品の作り手です。**

インタビューが終わった後、こんなコメントをいただきました。

「今後はいくつ売却するかなどは決めていません。しかし、テストで何個もウェブサイトを立ち上げて、そのうちいくつかは売却すると思います。常に新しいものが好きで、儲かっていても飽きてしまうタイプなので」

まるで会社を立ち上げては売却していく連続起業家のようなコメントでした。また、売却の依頼をお待ちしております。

田中さんから売却を迷っている方へのメッセージ

「このウェブサイトがなくなってしまうと生活できなくなる。怖くて売れない」という方も見かけます。しかし、失うと危機感が出てきて頑張れますので、スキル上達のきっかけにもなります。

守りに入ってしまうと成長がなくなります。

覚悟を決めて売却し、しっかり買い手への責任を果たして、危機感を持ってさらに成長してほしいです。ぜひ、1歩を踏み出してほしいです。

おわりに

ここまでお読みいただきまして、本当にありがとうございました。

思えば、私がドキドキしながら初めてウェブサイトを売却した時、このような書籍はありませんでした。

ネットにもまともな情報が載っていなく文字通り「手探り」で進めていたことを思い出します。

その時、もしも本書があればどんなに気持ち的にラクだったか…。そんな思いもあり、当時の自分を思い出しながら執筆を進めていきました。

これから先、何人もの人がサイトM＆Aで悩むと思いますが、本書が少しでも手助けになればと思っています。

そもそも、本書を作りたいと思ったきっかけは、シンプルに業界のことをもっと知ってもらいたい、という強い思いからでした。

名刺交換の機会があると、「こんな業界あるんですね！」と驚かれることがほとんど。まだまだ認知されていないのだと痛感していました。

レアな存在として注目されることは良い面もあります。

しかし、

- **過去私自身がウェブサイトを売却したことで人生が好転した事実**
- **多くの売り手と買い手がｗｉｎ－ｗｉｎになり、それぞれが思い通りの人生を歩んでいる**

こういった事実をもっと多くの人に知ってもらいたい…。

そう考えるようになると「こんな業界あるんですね！」と言われる度になんとかしたい、と思うようになりました。

その1つの方法として今回の出版というお話をいただきました。

初出版ということもあり、企画から執筆まで実に色々なステップを経て、ようやく仕上げることができました。

こうして完成までこぎつけることができたのも、二人三脚で並走してくれた編集者作野裕樹さん、イラストを作成してくれた吉田茜さん、出版社の吉田和彦社長、サイトマを支えてくださった多くのお客様、そしていつも仕事を頑張ってくれている副社長堀池真希やスタッフ達のお陰です。

本当にありがとうございます。

また、こうして本書を手にとってくださったあなたが、「ウェブサイトが売り買いされている特殊な業界」を知るチャンスとなったことに心から嬉しく思います。

今後、ウェブサイトを売却してみようと思ったのであれば、あなたを応援したいと思います。そして素晴らしい買い手とのマッチングを祈っています。

まるで、ドラマのように展開していくサイトM&Aの醍醐味をじっくりと味わってみてください。

最後に、弊社では働きたい方も探しています。

私たちは「業界を良くしていきたい」と考え、常に改善を繰返しサイトM&Aの仲介をさせてもらっています。

まだまだこれからの市場で「一緒に業界を変えてみたい」と思った方は、お気軽にご連絡ください。

ＭＡＩＬ：ｉｎｆｏ＠ｓａｉｔｏｍａ．ｃｏｍ
ＴＥＬ：０１２０－９６６－８６２

ここまでお読みくださったあなたであれば、きっとうまくいくと思います。悩むことがあっても自分を信じて進んでみてください。

１人でも多くの方がこの業界を知り、売却に成功されることを強く願いながら筆を置きたいと思います。

お読みいただきましてありがとうございました。

読者限定プレゼント
あなたのウェブサイトを高く売るための3つのコツ

ここまでお読みのあなたであれば、「せっかくだったら高く売ってみたい」と思っているのではないでしょうか?

そこで、本書では語りきれなかった高値で売るコツを大公開。全てのタイプに応用できる本質的な内容ですので手に入れておいて損はありません。

230件以上、約7億円分の対面(オンラインも含む)で仲介してきた中で得た、売却価格を上げるための要点をお届けします。本書をお読みくださったあなただけに特別にプレゼントします。

ぜひ、以下からダウンロードしてください
(※ただし、秘匿性の高い情報になりますので予告なく公開を終了する可能性もあります。ご興味あれば、お早めに入手してください)

方法① 読者専用ページからダウンロードする

・スマホでQRコードを読み込んでください。

・パソコンの場合は以下URLからアクセスしてください。
URL:https://saitoma.com/book-s2

方法② 直接連絡して手に入れる

件名に「読者限定プレゼント」と記載して、以下アドレスにメールをお送りください。担当者が確認した後、返信するかたちでプレゼントをお届けします(あるいはお電話でも結構です)。

Mail: info@saitoma.com　TEL: 0120-966-862

【著者紹介】

中島　優太（なかじま　ゆうた）

エベレディア株式会社代表取締役。

サイト売買コンサルタント®。

芝浦工業大学応用化学科卒業。

上場企業である株式会社ファンケルの横浜工場に5年半勤務。

サプリメント製造に携わりながら、師からビジネスを学び退社。2014年10月にエベレディア株式会社を設立。

自社で制作したウェブサイトを2つ売却するが、サイトM&A業界の不親切に疑問を持ち、2016年5月に親切丁寧に売買仲介する「サイトマ」を創業。

運営5年ほどで取引累計額7億円以上、取引数230件以上。

これら全て直接対面（オンラインも含む）で仲介。

売買成約率は業界トップクラスの91.9%（2020年1～10月）。

2020年NHK「クローズアップ現代プラス」に専門家としてコメント。

その他、新聞、ラジオ、ビジネス雑誌にも多数掲載。

超入門！サイトM&A 1年目の教科書 －売却編－

<検印省略>

2021年5月14日　第1刷発行
著　者　中島 優太

発行人　吉田 和彦

発行所　コーシン出版
〒173-0004 東京都板橋区板橋2-28-8 コーシンビル
電話番号：03-3964-4511　ファックス番号：03-3964-4569
ホームページ：http://ko-sinsyuppan.com

発売元　(株)星雲社　(共同出版社・流通責任出版社)
〒112-0005 東京都文京区水道1-3-30
電話番号：03-3868-3275　ファックス番号：03-3868-6588

印刷所　恒信印刷株式会社

ISBN978-4-434-28910-1　C0063